T3-BNW-043

UN DISCOURS À PLUSIEURS VOIX :

LA GRAMMAIRE DU OUI EN 1995

ANNE TRÉPANIER

UN DISCOURS À PLUSIEURS VOIX :
LA GRAMMAIRE DU OUI EN 1995

Les Presses de l'Université Laval

Les Presses de l'Université Laval reçoivent chaque année du Conseil des Arts du Canada et de la Société de développement des entreprises culturelles du Québec une aide financière pour l'ensemble de leur programme de publication.

Nous reconnaissons l'aide financière du gouvernement du Canada par l'entremise de son Programme d'aide au développement de l'industrie de l'édition (PADIÉ) pour nos activités d'édition.

Mise en pages : Francine Brisson
Maquette de couverture : Chantal Santerre

Dépôt légal 2e trimestre 2001

ISBN 2-7637-7796-1

Distribution de livres Univers
845, rue Marie-Victorin
Saint-Nicolas (Québec)
Canada G7A 3S8
Tél. (418) 831-7474 ou 1 800 859-7474
Téléc. (418) 831-4021
http://www.ulaval.ca/pul

Le sens n'est pas au bout du récit, il le traverse.

Roland Barthes
Introduction à l'analyse structurale des récits

L'univers démodé

Le processus de vieillissement dans l'univers verbal suit un rythme autrement accéléré que dans l'univers matériel. Les mots, trop répétés, s'exténuent et meurent, alors que la monotonie constitue la loi de la matière. Il faudrait à l'esprit un dictionnaire infini, mais ses moyens sont limités à quelques vocables trivialisés par l'usage. C'est ainsi que le *nouveau*, exigeant des combinaisons étranges, oblige les mots à des fonctions inattendues : *l'originalité se réduit à la torture de l'adjectif et à une impropriété suggestive de la métaphore*. Mettez les mots à leur place : c'est le cimetière quotidien de la Parole. Ce qui est *consacré* dans une langue en constitue la mort : un mot *prévu* est un mot défunt ; seul son emploi artificiel lui insuffle une vigueur nouvelle, en attendant que le commun l'adopte, l'use et le souille. L'esprit est *précieux* – ou il n'est pas, tandis que la nature se prélasse dans la simplicité de ses moyens toujours les mêmes.

E.M. Cioran
Précis de décomposition

À ma famille de toutes les saisons

Georges, Louise et Hélène

Table des matières

LISTE DES SIGLES EN RÉFÉRENCE AUX AUTEURS DES ESSAIS CITÉS

AF : Andrée Ferretti, *Le Parti québécois : Pour ou contre l'indépendance ?*, Outremont, Lanctôt, 1996.

CC : Camp du changement, *Le cœur à l'ouvrage*, Québec, Le Camp du changement, 1995.

DM : Denis Monière, *L'indépendance*, Montréal, Québec/Amérique, 1992.

FD : Fernand Dumont, *Raisons communes*, Montréal, Boréal, 1995.

GB : Guy Bouthillier, *L'obsession ethnique*, Outremont, Lanctôt, 1997.

JaL : Jacques Limoges, *Le génie québécois*, Saint-Zénon, Louise Courteau, 1996.

JL : Josée Legault, *Les nouveaux démons*, Montréal, VLB, 1996.

JP : Jacques Parizeau, *Pour un Québec souverain*, Montréal, VLB, 1997.

PG : Pierre Graveline, *Une planète nommée Québec*, Montréal, VLB, 1996.

PV : Pierre Vadeboncœur, *Gouverner ou disparaître*, Montréal, Typo, 1993.

Sigles conventionnels

IPSO : les Intellectuels pour la souveraineté

ONU : Organisation des Nations unies

PLQ : Parti libéral du Québec

PQ : Parti québécois

RIN : Rassemblement pour l'indépendance nationale

ROC : Rest of Canada [le Canada sans le Québec]

Présentation

À LA VEILLE de la publication de ce livre, l'événement discursif que les quotidiens ont appelé « l'affaire Michaud[1] » et la démission du premier ministre du Québec, Lucien Bouchard, ont ébranlé non seulement le projet de l'accession à la souveraineté par voie d'élection référendaire, mais aussi le discours sur l'identité québécoise. Le contexte de 1995 permettait de parler d'un certain état du discours social sur l'identité québécoise en employant le terme de grammaire, en traçant des mots et une analyse rhétorique qui dessinaient une apparente fixité. Peut-on encore parler d'une grammaire souverainiste si le projet identitaire de Lucien Bouchard est resté vain, comme le dit, très sévèrement envers lui-même, l'ancien chef du PQ ? Comment parler de grammaire et d'exceptions rhétoriques dans un bassin discursif où les expressions « nation

1. L'affaire Michaud a retenti dans tous les médias à la veille de Noël 2000. L'affirmation d'Yves Michaud tourne le fer dans la plaie des « votes ethniques », argument soutenu par Jacques Parizeau dans son discours livré au soir du référendum de 1995. En effet, qualifier d'« intolérance de la part des communautés ethniques » le fait de voter contre la souveraineté du Québec semble à plusieurs souverainistes non seulement un mauvais diagnostic, mais une preuve de l'intolérance d'une certaine portion du PQ, que le chef du parti et premier ministre de l'heure, Lucien Bouchard, désavoue avec force. L'exécutif régional du PQ Montréal-Ville-Marie recentre, quant à lui, son argumentation sur la question des valeurs : le respect plutôt que la tolérance. Ainsi propose-t-il une nouvelle définition de l'identité québécoise fondée non plus précisément sur l'ethnie ou la langue mais sur la différence : « Est Québécois celui ou celle qui revendique la reconnaissance et le respect de la différence identitaire québécoise » (*Le Devoir*, 22 décembre 2000, p. A-9). Inévitablement, la question n'est pas posée ouvertement de crainte de rouvrir le débat : quelle est cette différence identitaire, quelles sont les limites de l'identité québécoise ?

ouverte », « peuple québécois » et « consensus démocratique » ne sont plus conjuguées dans la même connivence souverainiste ?

Il fut un temps, en 1995, où les discours sur la souveraineté et l'identité du Québec tenaient ensemble comme un seul discours par le ciment de la cause : le référendum sur l'accession du Québec à la souveraineté. Au lendemain du référendum du 31 octobre 1995, pourtant, d'autres propos sur « l'argent et les votes ethniques » se sont mis à poindre. Les malaises, les non-dits, les excuses ont fait fléchir le « Bon usage » souverainiste et l'ont amené, au tournant du millénaire, à une nouvelle crise de l'argumentaire : le PQ se met au défi de la résoudre dans le premier trimestre de 2001, pour éviter, d'une part, la scission du parti et, d'autre part, pour relancer l'option de la souveraineté dans l'opinion publique québécoise.

Dans l'embouteillage idéologique du Québec, on se retrouve pare-chocs à pare-chocs, avec le « Je me souviens » en guise de carte d'identité, gravé comme une épitaphe sur toutes les plaques d'immatriculation. Amnésie et mémoire collectives sont tour à tour interpellées dans la grande métaphore du peuple québécois en marche dans l'Histoire, l'histoire du monde et celle du terroir. Après deux référendums sur l'accession du Québec à la souveraineté, tenus à quinze ans d'intervalle, et après l'échec du PQ de Lucien Bouchard dans sa volonté d'« intensifier le sens identitaire » des Québécois, d'une part, et d'accroître la ferveur souverainiste »[2], d'autre part, ces mêmes Québécois semblent attendre sur le même chemin, plus ou moins docilement, coincés dans une définition de la nation qui perd de la vitesse.

Autour de la borne d'étape que marque le référendum de 1995, il nous semble que le discours souverainiste remplit des fonctions identitaires : il raconte la nation, il la nomme, l'identifie, la balise et l'oriente. Le premier ministre Jacques Parizeau, sur la ligne de départ de la campagne référendaire, disait à son équipe : *Il faut revenir à deux questions fondamentales, essentielles : Qui sommes-nous ? Où allons-nous*[3] *?* puis, à la veille de la cam-

2. Ces formules sont tirées du très beau discours de Lucien Bouchard, prononcé le 11 janvier 2001 à l'Assemblée nationale du Québec, à l'occasion de sa démission aux titres de premier ministre du Québec et de chef du PQ.
3. Jacques Parizeau, *Pour un Québec souverain*, Montréal, VLB, 1997, p. 156.
Dorénavant, les citations tirées des ouvrages de notre corpus d'analyse seront composées en caractère *italique*, suivies du sigle désignant l'auteur et de la référence paginale (voir la liste des sigles). Les citations tirées des ouvrages de notre bibliographie secondaire apparaîtront en caractère standard.

pagne référendaire, lors d'un rallye de formation : [c'est] *le sprint le plus important et le plus emballant de notre vie* (JP, p. 113). Aussi, le moteur de la narration du discours idéologique tisse-t-il une trame explicative de la nation. La narration construit en effet une logique, un monde de possibilités qui constitue le récit chronologique et thématique d'une légitimité, celle du Québec. En établissant sa finalité, le discours souverainiste[4] vient donner des raisons à l'attente, un chemin à suivre et une destination à atteindre. La magie des mots évocateurs, les mots du chemin, des embûches, des pas, des distances à parcourir, jalonnent le parcours des textes qui composent ce discours. Jacques Parizeau souligne lui-même la remontée souverainiste du début des années quatre-vingt-dix en ces mots : *Nous avons repris la route avec l'espoir comme seul carburant* (JP, p. 113). Mais, à l'automne 1995, les coureurs s'essoufflent à rouler autour de la formule gagnante.

Sous la forme d'essais, de pamphlets ou de recueils de chroniques, les discours souverainistes ont occupé une large part de la production textuelle québécoise pendant la période préréférendaire d'avant 1995.

En effet, depuis 1992, les textes idéologiques ont préparé le terrain pour la tenue du référendum sur l'accession du Québec à la souveraineté – situation conditionnelle à l'élection provinciale de 1994 du gouvernement péquiste – en développant des synthèses autour de la question de l'identité et de la volonté collectives québécoises. Ces écrits visaient à transmettre l'idée de la « genèse de la nation » en retraçant un passé commun à la nation québécoise, en vue de rendre possible une projection du groupe dans l'avenir. De même, dans la période suivant immédiatement le référendum, les prises de position indépendantistes se sont affirmées dans la majorité absolue des essais publiés. C'est dans ce large bassin de discours imbriqués les uns dans les autres, qui recoupent et refondent un discours identitaire autour de la notion de nation québécoise, que nous allons tenter de cerner les frontières du discours idéologique souverainiste québécois. À l'invitation du récent livre de Paul Ricœur, nous allons nous arrêter un moment à la période référendaire de 1995, pour dégager un

4. Nous entendons *discours* à la manière dont Roland Barthes comprend le terme *texte*, c'est-à-dire comme un ensemble de discours (de textes) non homogènes mais dirigés dans le sens du récit principal. Dans le cas qui nous intéresse, il s'agit des discours qui promeuvent la souveraineté du Québec.

certain état du discours social sur la question de l'identité québécoise liée au projet de la souveraineté.

> On peut en effet passer sans arrêt, comme le temps lui-même, d'une phase à l'autre de la durée du même objet, ou s'arrêter sur une phase : le commencement est tout simplement le plus remarquable de ces arrêts[5].

En créant une matrice de la grammaire souverainiste dans les discours idéologiques du Québec, il n'est pas question pour nous de conclure à l'existence de paradigmes nationaux typiquement québécois. La figure de la matrice, que nous proposerons en fin de parcours et que nous construirons au cours de cette étude, tend au contraire à rendre compte de l'intersection de différents réseaux : ligne du temps mémorielle, phénomène identitaire, dogmes, personnages mythifiés et démarches exemplaires. Cette matrice prendra la forme d'une grammaire, codifiant des idéologèmes et des exceptions rhétoriques. La grammaire souverainiste constitue, en effet, un ensemble de règles à suivre pour argumenter correctement l'indépendance du Québec par le biais de l'identité québécoise et du passé historique des Québécois. En ce sens, l'argument souverainiste n'est valide que s'il participe de cette morphologie imposée par les idéologues de l'identité québécoise. On l'a vu encore trop récemment, la grammaire souverainiste comporte des exceptions. L'une d'elles s'est manifestée dans les derniers jours de l'an 2000, sur le plan intrapartisan, au sein même du PQ. « L'affaire Michaud » a en effet révélé les blessures non cicatrisées du discours de la nation à sens unique et continuera un bon moment de le faire, du moins tant que la grammaire de 1995 ne sera pas étudiée sérieusement, tant que les discours du temps des tristement célèbres « votes ethniques » ne seront pas assumés, reniés ou sublimés.

Rendre justice au discours sur la question nationale au Québec n'est pas une façon de le légitimer ni, du reste, de le condamner. Il s'agit pour nous de proposer une façon neuve de cerner l'objet, de dépoussiérer la substance nationale, utilisée par les idéologues souverainistes québécois à la fois comme présupposé et comme finalité, dans un raisonnement tautologique. Nous aurions pu procéder à l'analyse de la construction nationale canadienne sur fond de référendum sur la souveraineté du Québec. Tou-

5. Paul Ricœur, *La mémoire, l'histoire, l'oubli*, Paris, Seuil, 2000, p. 41.

tefois, nous avons d'abord été interpellée par le *Préambule au projet de loi sur la souveraineté du Québec*, et c'est sur ce coup poétique, politique et lyrique que nous avons eu l'idée de réaliser ce projet.

Bien sûr, notre positionnement comme analyste relève d'un double engagement : celui du sujet et celui du chercheur. Dans un double espace, celui de l'idéologie et celui de la citoyenneté, il s'agit donc pour nous de relativiser non pas notre appartenance effective à la société québécoise, mais notre situation affective à son égard. Nous prétendons donc nous situer non pas à l'extérieur du groupe nommé québécois, mais à sa périphérie. Nous tenterons toutefois de nous extirper du bassin discursif idéologique pour ne partager avec notre objet d'étude que le terrain des enjeux, au sens littéral. Nous pourrons ainsi, depuis un poste d'observatrice critique, espérer cesser de ne voir que les arbres afin de dégager les caractéristiques de la forêt, depuis son orée.

Introduction

DANS LE LABYRINTHE identitaire, le monstre de l'autre est toujours menaçant, et la possibilité de retourner en arrière ne tient qu'à un fil. En construisant un récit, la narration assied des constantes, légitime les prises de position, choisit des faits historiques et des objets de mémoire, écarte des dangers, éveille et nourrit l'imaginaire collectif de la nation qu'elle détermine. Suivant les propositions théoriques des Benedict Anderson et Elie Kedourie, nous posons que la narration de la nation est un processus de *création*. De la société d'argile avec laquelle elle compose, la narration impose un mouvement, elle se sert de la terre et de l'eau disponibles sur place pour ériger en monument imaginaire la *référence*[6] de la nation.

On peut reconnaître, au Québec, dans l'ensemble des discours sociaux sur la question nationale, une vision du monde qui offre comme panorama conceptuel « l'imaginaire collectif[7] ». Dans la pléthore d'essais

6. Nous empruntons ce terme conceptuel à Fernand Dumont, tiré de sa *Genèse de la société québécoise*, Montréal, Boréal, 1993.
7. Nous nous devons ici de mentionner que cet imaginaire collectif se nourrit d'abord de l'agir collectif, ensuite de la narration que les idéologues lui fournissent. Cette narration peut collectiviser un imaginaire social diffus ; en ce sens, nous pourrions parler d'« imaginaire collectivisé ». Cette narration peut aussi être fictionnelle ; elle est en cela un don, une suggestion faite à l'imaginaire de la collectivité. Le concept de *narraction* (nation, action, narration) suggère l'influence, voire le transfert de la substance de l'imaginaire collectif d'un pôle social à un pôle de narration. Voir Jocelyn Létourneau avec la collaboration d'Anne Trépanier, « Le lieu (dit) de la nation : essai d'argumentation à partir d'exemples puisés au cas québécois », Ottawa, *RCSP/CJPS* (*Revue canadienne de science politique*), vol. XXX, nº 1, mars 1997.

publiés en 1995[8], cette vision a permis l'adéquation entre la nation comme « univers symbolique » et la nation comme « réalité vécue ». Aussi, selon cette vision du monde, il y aurait eu, pendant la dernière période référendaire, une communication qui transcende le texte, une sorte de métalangage commun à tous les Québécois. Cet état aurait été rendu possible par une mythologie réciproque[9]. La création d'un univers commun – celui de l'image, de la métaphore – agirait aussi comme un ciment unificateur entre les membres du groupe : « [...] le fait collectif s'est transformé, par la grâce de l'écrivain, en œuvre de langage et d'imagination[10]. » Dès lors, la suggestion de paysages typiquement québécois, de tableaux sociographiques, d'un « tronc commun » de valeurs, accepté comme tel dans les régions québécophiles du monde[11], constitue un réseau de vecteurs référentiels et directionnels construit et véhiculé par les essayistes. Ni historiens ni fabulistes, les essayistes tissent cependant le mythe québécois en véritables définisseurs[12] de l'appartenance québécoise. En effet, nous comprenons le mythe comme « ce récit dont la fonction n'est pas d'informer la théorie ou d'orienter la pratique (ce serait de l'histoire) mais de situer celui qui le récite et celui qui le reçoit dans un univers réel et imaginaire[13] ».

En effet, le bassin de présupposés constitue en lui-même l'essence d'une communauté composant le Québec souverain – communauté imaginée[14] par ses définisseurs – et se situe, sur le plan intrarelationnel, à celui de la communauté de communication. Suivant cette perspective, le rapport que l'idéologue entretient avec le fait social est d'ordre dialectique,

8. Période qui, à notre sens, est extensible depuis la parution de *L'indépendance* de Denis Monière (1992) jusqu'à celles de *L'obsession ethnique* de Guy Bouthillier (1997) et du recueil de textes et de discours très attendu *Pour un Québec souverain* de Jacques Parizeau (1997).
9. Nous empruntons l'idée et la formule à Robert Escarpit, dans son introduction à *Le littéraire et le social ; éléments pour une sociologie de la littérature*, Paris, Flammarion, 1970, p. 26 : « [...] la communication littéraire [idéologique] suppose une mythologie réciproque ».
10. Jacques Dubois, « Pour une critique littéraire sociologique », dans Robert Escarpit (dir.), *Le littéraire et le social ; éléments pour une sociologie de la littérature*, Paris, Flammarion, 1970, p. 56.
11. Remarquons avec joie l'essor des nombreux groupes d'étude sur le Québec et la vitalité de l'Association internationale d'études québécoises, qui compte maintenant de nombreux membres dont plusieurs en Europe et en Amérique latine.
12. Nous emploierons ce néologisme pour remplacer l'expression correcte mais lourde « ceux qui définissent l'identité », à savoir les idéologues de l'identité.
13. Jean-Jacques Guinchard, « Le national et le rationnel », *Communications*, no 45, Paris, Seuil, 1987, p. 18.
14. Traduction communément acceptée de la formule de Benedict Anderson, « Imagined Communities ».

interactif, dialogique : « Le discours naît dans le dialogue comme sa vivante réplique et se forme dans une action dialogique mutuelle avec le mot d'autrui, à l'intérieur de l'objet [...]. Tout discours est dirigé sur une réponse, et ne peut échapper à l'influence profonde du discours-réplique prévu[15]. » Cette appréciation s'étend à la resituation du discours écrit dans la contemporanéité des discours sociaux. Les essais définisseurs de la communauté souverainiste et leurs réponses potentielles s'inscrivent alors dans un bassin élargi et intègrent non seulement un langage d'images, mais des opinions, des faits, des préjugés et des espoirs, ainsi que le souligne Micheline Cambron :

> Le discours social commun n'est pas une simple addition de discours singuliers mais plutôt ce qui fonde ces discours en les rattachant – parfois sur le mode de la contradiction – à une sorte de « sens commun » tel que le conçoit Gramsci, comme « un produit et un devenir historique » qui correspondent à « la pensée générale d'une époque déterminée dans un lieu populaire déterminé »[16].

C'est à cette étape de la construction narrative de la référence de la nation que nous argumenterons l'idée de grammaire souverainiste, en puisant à dix textes : essais, recueils de chroniques ou pamphlets politiques orientés idéologiquement en faveur de la souveraineté du Québec. C'est dans un certain état du discours social sur l'identité québécoise, condensé autour du référendum de 1995, que nous allons décanter ce qui nous semble être les éléments d'une matrice générative de l'argumentaire de la nation québécoise que nous appellerons grammaire.

15. Mickaïl Bakhtine, « Discours poétique, discours romanesque », dans *Esthétique et théorie du roman*, Paris, Gallimard, 1978, p. 103.
16. Micheline Cambron, *Une société, un récit*, Montréal, L'Hexagone, 1989, p. 34.

PREMIÈRE PARTIE

LA NATION : PROBLÉMATIQUE CONTEMPORAINE, PRATIQUES QUÉBÉCOISES

CHAPITRE PREMIER

Qu'est-ce que la nation ?

DEUX PHILOSOPHIES européennes nous apparaissent à l'origine du discours hégémonique de la nation au Québec. Le premier pôle de la définition de la nation est hérité de la tradition philosophique allemande. Défini par Fichte et Herder au XVIIIe siècle, le concept de nation, en Allemagne, prend un sens quasi organique. En effet, la nation existerait comme un organisme vivant ayant des racines dans le cœur et dans l'esprit de ses membres ; elle serait vécue comme une « personnalité collective intérieure », un peu comme le suggère le pronom personnel « nous ». C'est la culture philosophique, antérieure à l'engagement politique, qui motiverait la prise de conscience de la nation par elle-même en permettant de percevoir les manifestations du « génie populaire », par exemple dans les arts. L'idéal romantique de la nation traditionnelle allemande, c'est la suggestion de l'image forte d'un peuple qui a confiance en ses moyens. Sur le plan de la réalisation, le concept suggère une fusion du peuple et de son gouvernement dans un État-nation.

Le célèbre discours « Qu'est-ce qu'une nation ? » prononcé par Ernest Renan en 1882, à la Sorbonne, dessinait habilement le réseau des éléments constitutifs de la nation, selon la tradition issue de la Révolution française. Cette définition nous apparaît nettement être l'autre pôle théorique dans la tentation de circonscrire la nation québécoise. Selon Renan, en concevant la nation exclusivement comme fille d'une langue, d'un territoire, d'une race ou d'une religion, on oublie qu'elle est avant tout l'expression d'une communauté qui partage des traits communs, et surtout celle d'un groupe qui envisage l'avenir ensemble : « Autant le principe des nations est juste et légitime, autant celui du droit primordial des races est étroit et plein de danger pour le véritable progrès[1]. » Or, au concept théorique de la nation, tel qu'exprimé par Renan, se collent deux postulats : l'appréciation d'éléments constitutifs de la nation et la considération du phénomène volontaire. On aura, d'une part, le bagage historique, politique et culturel et, d'autre part, le « plébiscite de tous les jours » et la projection dans l'avenir de l'expérience commune :

> Une nation est une âme, un principe spirituel. Deux choses qui, à vrai dire, n'en font qu'une [...]. L'une est dans le passé, l'autre dans le présent. L'une est la possession en commun d'un legs de souvenirs ; l'autre est le consentement actuel, le désir de vivre ensemble, la volonté de continuer à faire valoir l'héritage qu'on a reçu indivis[2].

Ces considérations tracent les bases d'une définition exhaustive de la nation qui s'insère dans une philosophie du progrès, en continuité avec celle des Lumières : celle de l'avancement des sociétés vers une prise de conscience d'elles-mêmes. Comme un enfant, la nation serait amenée à se nommer pour comprendre son existence. Alors que, selon le concept issu de la tradition française, la nation existe par son autoproclamation, authentifiant sa présence comme par un acte de naissance, la nation allemande issue de la tradition philosophique herderienne prétend être antérieure à son expression.

Le discours souverainiste québécois est tissé de plusieurs phrases polyphoniques inspirées des deux pôles théoriques traditionnels européens de la définition de la nation. Nous pourrons observer leur influence dans les deuxième et troisième parties de ce livre, d'une part dans le discours intuitif et théorique de la définition du « nous » québécois par rapport à soi et aux autres, puis, d'autre part, dans le second discours en importance de l'argumentaire souverainiste : la ligne mémorielle du temps, marquée

1. Discours de Renan [reproduit intégralement dans le recueil de textes rassemblés par Philippe Forest, *Qu'est-ce qu'une nation ?*, Paris, Pierre Bordas, coll. « Littérature vivante », 1991], IIe section, ligne 53.
2. *Ibid.*, IIIe section, ligne 1.

par des événements historiques. La mémoire historique tisse en filigrane la suite téléologique de l'histoire du peuple québécois, idée reçue et véhiculée par des formules telles que *donner un coup d'épaule au Destin*, *le rendez-vous avec l'Histoire* et *la grande marche du peuple québécois*.

En posant le concept socioculturel de nation en tant que valeur universellement reconnue comme légitime dans la vie politique contemporaine, Benedict Anderson se situe à l'intersection d'une justification historienne de réalités nationales et d'une approche délibérément anthropologique. En effet, l'auteur présente les nations comme des éléments construits, mis en relation dans un espace-temps précis, tout en offrant une explication du monde en termes de réseaux sociaux. Aussi, sa définition de la nation consiste-t-elle en la description d'une communauté politique imaginée, limitée et souveraine. Ses illustrations couvrent l'Amérique et l'Europe à parts égales, y puisant essentiellement les deux mythes fondateurs de la nation moderne : la Déclaration d'indépendance américaine et la Révolution française. Son approche privilégie largement les considérations anthropologiques ; on aura donc la description de l'émergence de la conscience historique en relation avec les sentiments d'appartenance inhérents à la religion et à la dynastie (au lignage). Or, ces phénomènes sociaux de perpétuation de la tradition reçue constituent une trame explicative du « besoin vital » des communautés de faire partie d'une continuité, même si cette dernière s'opère dans l'imaginaire d'une fatalité ou d'une destinée. Ainsi, la construction référentielle d'un « nous », autour d'un symbole de pouvoir monarchique ou dynastique, prendrait place simultanément au développement d'une conscience historique. La « narration de la nation », entendue comme le récit collectif de la genèse d'une communauté, apparaît ainsi, dans l'analyse de Benedict Anderson, à la fois comme un « document-preuve » et comme étant de la facture d'un imaginaire.

Vues comme une seconde étape dans l'histoire des communautés imaginées – imaginables et imaginaires –, les interrelations entre l'éclosion spontanée et quasi fortuite de nouveaux groupes, un nouveau système de production (le capitalisme) et une nouvelle technologie de communication (l'imprimé) contribuent à former des communautés imaginaires plus vastes qui préparent le terrain à la nation moderne, c'est-à-dire à une communauté politique imaginable, construite en opposition à l'hégémonie d'un groupe dominant ou à la suite d'une véritable prise en charge autarcique d'un destin commun, menée par une intelligentsia attentive à créer une unité populaire. Enfin, la communauté imaginaire se narre, selon Benedict Anderson, dans un espace intemporel, celui de la création, sans date de naissance ni épitaphe, quoique son développement évolue dans une conscience historique et prenne forme dans des réalités sociologiques.

Au-delà de la seule appréciation de la réalité contemporaine de tels groupes sous la forme moderne d'États-nations, Anderson ouvre une réflexion neuve sur le « je ne sais quoi » qui donne une dimension affective à la nation, ce « je ne sais quoi » même qui motive les poètes à chanter la patrie et les patriotes à mourir pour elle.

Dans *A Theory of Semiotics*, Umberto Eco définit l'idéologie comme étant le camouflage, volontaire ou non, des possibilités contradictoires d'un champ sémiotique donné[3]. L'idéologie présente une conception de la réalité comme étant la seule valable et ses conséquences comme inévitables[4]. Dans *Nationalism*, Elie Kedourie tente de démasquer l'idéologie nationaliste en exposant l'ambiguïté de ses fondements philosophiques. Selon Kedourie, la doctrine nationale, ou « nationalisme », prétend que l'humanité est divisée naturellement en nations et que certaines caractéristiques objectives permettent de distinguer les nations entre elles. Suivant le raisonnement des nationalistes, seuls les gouvernements nationaux seraient légitimes. Phénomène essentiellement occidental à l'origine, le nationalisme se serait répandu à travers le monde grâce à la démocratisation du savoir, par le biais des colonisateurs ou des élites intellectuelles formées à l'école occidentale[5].

Suivant l'argumentation de Kedourie, le nationalisme est le produit des événements historiques et des débats philosophiques en Europe à la fin du XVIIIe siècle, alors que la Révolution française proclamait les valeurs universelles de liberté, d'égalité et de fraternité proposées par les philosophes des Lumières. Les individus liés par le contrat social constituent la nation en y faisant primer le bien commun ; cette dernière est souveraine et

3. Umberto Eco, *A Theory of Semiotics*, Bloomington, Indiana University Press, 1979.
4. On pourrait dire du raisonnement idéologique qu'il est aporétique, en langage philosophique, puisque, précisément, il met en présence deux opinions contraires et également raisonnées, en réponse à la même question (à l'entrée Aporie de son *Vocabulaire technique et critique de la philosophie* (p. 69), André Lalande cite Hamelin, *Système d'Aristote*, p. 233).
5. Elie Kedourie, *Nationalism*, Londres, Huthchinson, 1966, p. 9.

l'autorité ne peut émaner que d'elle. La nation ainsi formée a le droit, voire le devoir, de se doter d'un gouvernement légitime ; les nations mécontentes tiennent de ces idéaux le droit de renverser l'autorité en place ou de s'en libérer par la sécession. La Révolution française a aussi et surtout démontré la possibilité de changement radical pour le progrès de l'humanité. En effet, la doctrine nationale naissante s'appuyait en partie sur les idées du contrat social, de la fusion de l'individu et de l'État et de la souveraineté de la nation. Toutefois, selon Kedourie, le nationalisme se nourrit surtout de la possibilité de violence révolutionnaire révélée par les événements de 1789-1815 en France.

Plus que dans le rationalisme des Lumières, c'est dans la philosophie de Kant et de ses disciples – notamment dans celle de Fichte – que la doctrine nationale s'enracine. En dissociant la moralité de la raison pour fonder cette première sur la liberté et l'autonomie de la volonté, Emmanuel Kant nomme l'individu arbitre et souverain de l'univers. Le but de l'existence, suivant la philosophie kantienne, est l'autodétermination de l'individu comme être libre.

Les implications politiques qui découlent de cette philosophie sont nombreuses et profondes : l'État doit refléter la volonté autonome des citoyens. L'autodétermination individuelle est liée à l'autodétermination collective, qui devient le but ultime de la politique. La primauté de l'autodétermination comme valeur politique justifie alors la violence commise en son nom. Selon Kedourie, c'est principalement cette « euphorie de l'autodétermination » qui est la source de la vitalité des nationalismes.

Fichte, souvent considéré comme le *père* du nationalisme allemand, a développé les implications politiques de la philosophie kantienne. Selon le philosophe, seule la conscience est réelle puisqu'il est impossible de prouver l'existence de la matière. L'individu n'acquiert sa réalité que par son appartenance à la conscience du monde. L'autonomie de la volonté, seul critère de la liberté, naît donc de l'absorption de l'individu dans la conscience globale. La théorie du contrat social, qui suppose la nation comme un groupe d'individus autonomes, libres et égaux en droit selon les lois de la raison, est invalidée par la philosophie postkantienne qui nie la possibilité d'autonomie et de liberté hors du groupe. Alors que les philosophes des Lumières percevaient l'individu comme l'unité fondamentale de la société, la philosophie postkantienne pose l'État comme précédant et transcendant l'individu. Pour Fichte, c'est l'État qui permet la réalisation de l'individu, et non pas l'inverse. Ainsi, l'État est le « creator of man's freedom not in an external and material sense but in an internal and spiritual sense[6] ». Le progrès de l'individu vers l'autodétermi**nation** (nous soulignons) est dès lors inextricablement lié à celui de l'État. Pour Kant et ses disciples, ce sont les luttes et les conflits qui sont les moteurs du progrès. Or, les différences, d'où naissent les conflits, sont nécessaires à l'amélioration souhaitée du monde dans le temps : « The World must be a world of many states », écrit Kedourie[7]. Le progrès du monde dicte la préservation des différences de langue et de religion qui, plus que toutes autres catégories, distinguent les nations.

La langue, étalon principal de la diversité, acquiert une signification politique d'importance dans la rhétorique nationaliste, particulièrement dans la rhétorique de la différence, génératrice de conflits, certes, mais moteur de progrès et, toutes proportions métaphoriques gardées, temple de l'identité de la nation. Pour les penseurs de l'idéologie nationale, la langue d'une nation est le produit de son histoire propre et de ses traditions. Herder, dans son *Traité sur les origines du langage* (1772), présentait en effet la langue comme étant à la fois le produit et le véhicule d'une vision particulière du monde. Kedourie ajoute, presque deux siècles plus tard, que pour les nationalistes : « Language is the external and visible badge of those differences which distinguish one nation from another ; it is the most important criterion by which a nation is recognized to exist, and to have the right for the state of its own[8]. » Théoriquement, les frontières d'un État national sont dictées par la topographie et le groupement linguistique des populations. Cependant, la clarté théorique cède la place, sur le terrain, à la confusion. Aussi, pour Kedourie, les concepts de nation et de culture sont nécessairement flous puisqu'on ne peut en établir de définitions opérationnelles ; « [...] nationalists must operate in a hazy region, midway between fable and reality, in which states, frontiers, compacts are at once real and unreal[9] ». La nation n'existe pas comme « entité primordiale » puisqu'elle ne peut pas être définie. De plus, elle est empêchée, par ce même état indéfinissable, de constituer une base rationnelle

6. *Ibid.*, p. 47.
7. *Ibid.*, p. 53.
8. *Ibid.*, p. 64.
9. *Ibid.*, p. 71.

pour la formation des États. Selon Kedourie, le nationalisme est même une véritable supercherie :

> [nationalism] divides the world into separate and distinct nations, claims that such nations should constitute a sovereign state, and asserts that members of a nation reach freedom and fulfillment by cultivating the peculiar identity of their own nation and by sinking their own persons in the greater whole of the nation[10].

L'originalité de la perspective de Kedourie tient en ce qu'il distingue le nationalisme du patriotisme et de la xénophobie. L'amour de la patrie et la haine des étrangers sont, selon le professeur, des sentiments universels et intemporels, à la façon des constructions métaphysiques, au contraire du nationalisme, qui permet la datation et la chronique. Ainsi, Kedourie rejette les réinterprétations historiennes selon une perspective nationaliste catégorisante : les nations ont été *créées* aux XIXe et XXe siècles.

Kedourie insiste pour rétablir le fait que les nations n'ont pas émergé puis progressé à travers l'histoire, comme le prétendent plusieurs historiens et penseurs. Le principe de la diversité, de la souveraineté de la nation, la philosophie du conflit, la notion d'autodétermination et de réalisation individuelle et nationale par la fusion avec l'État constituent donc, toujours selon l'auteur, le cœur de la doctrine nationaliste. Il n'existe pas de moyens pour mesurer la volonté d'autodétermination d'un peuple ; même la définition du territoire est problématique puisqu'elle est réfractaire à tout critère objectif. Dans la même lancée, l'auteur rejette aussi le plébiscite comme expression de la volonté d'un peuple. D'ailleurs, les plébiscites ne pourraient que témoigner des effets de la propagande et des pressions conflictuelles sur la population consultée. De plus, comme ils échappent à tout cadre légal tout en étant définitifs, les plébiscites ne constituent pas un moyen équitable ou rationnel de former un État. Dans le cas du Québec, le renvoi à la Cour suprême[11] fait écho à cette opinion, mais Kedourie pousse son argumentaire plus loin que Guy Bertrand. Dans les régions où cohabitent plusieurs populations, le premier soutient

10. *Ibid.*, p. 73.
11. La plaidoirie de Guy Bertrand pour le renvoi à la Cour suprême du Canada, à propos de la légitimité de faire la souveraineté du Québec, a donné des résultats équivoques. Les termes de la question référendaire sont éminemment politiques ; or, la plus haute cour de justice canadienne n'a pu que formuler cette indication : il faudra une « réponse claire à une question claire ».

que la création d'États nationaux mènerait à la tyrannie, à la domination d'un peuple sur l'autre : « Either or both [conquest and expulsion] are inherent in any claim to transform a linguistic, ethnic or religious group, inextricabily mixed with other groups in one area, into a nation-state with a fixed territorial boundary[12]. » De plus, les États nationaux menacent le caractère cosmopolite des centres administratifs, économiques et culturels qui s'enrichissent de l'apport de multiples populations.

Enfin, dans *Nationalism*, Elie Kedourie s'attarde à démontrer que la doctrine nationale, justification de la structure du monde moderne, constitue en somme une puissante idéologie, camouflant ses fondements fragiles sous un discours politico-religieux séduisant. Né du ressentiment et du trouble d'une génération, au début du XIXe siècle en Europe, le nationalisme a développé des racines profondes et s'est étendu à un tel point qu'autour du monde on le prend pour un sentiment naturel, comme le moteur même de cette évolution de l'humanité qu'il prétend servir.

LA GRAMMAIRE SOUVERAINISTE

À l'aube du référendum sur l'accession du Québec à la souveraineté, la société québécoise semblait-elle aspirer à être une nation républicaine par l'expression de la volonté populaire (modèle français) ? La manifestation de la « québécitude » n'aurait-elle pas été, au contraire, une expression de la nation québécoise, qui aurait été en voie d'entrer dans la phase légitime de la création d'une patrie étatisée (modèle allemand) ? D'après Fernand Dumont, la définition ambiguë de la nation, au Québec, serait issue de la Confédération de 1867. La nation canadienne et la nation québécoise seraient en effet tributaires de deux philosophies de la nation qui ne coïncideraient pas :

> *Les Pères de la Confédération voulaient fonder ce qu'ils appelaient une « nation nouvelle ». Entendons : une* nation politique. *Pour les anglophones, ce devait être la seule ; c'est pourquoi la centralisation les a peu répugnés* [...] *Chez les francophones, à cette idée de* nation politique *qu'ils ont entérinée s'est toujours juxtaposée celle d'une* nation culturelle *qui puisse compter sur la double protection de l'État fédéral et d'un gouvernement provincial* (FD, p. 34).

12. Elie Kedourie, *op. cit*, p. 127.

Jacques Parizeau retrace aussi les deux tendances politiques exprimées par le terme « nation » : *La première thèse* [la souveraineté] *a été celle de René Lévesque, la seconde* [Canadiens d'un océan à l'autre] *a été celle de Pierre Trudeau. Chacune a sa cohérence et, au fond, chacune correspond à la perception que l'on a d'un pays, le Québec ou le Canada* (JP, p. 75). La définition théorique de la nation québécoise oscille entre ces deux pôles traditionnels de la définition, selon que la volonté populaire intègre les néo-Québécois au projet de société ou selon que les « quatre cents ans d'hommes et de femmes retournés dans la terre[13] » constituent le cœur collectif.

Eric Hobsbawm, auteur de *Nations et nationalismes depuis 1780*, distingue précisément ces deux conceptions de la nation. En premier lieu, dans la conception démocratique révolutionnaire, le peuple souverain des citoyens identifiés à l'État constitue une nation par rapport au reste de l'humanité. En second lieu, la conception nationaliste découle de la préexistence d'une communauté distincte. Au Québec, les deux conceptions semblent se croiser et même se fondre. Le slogan catégoriel et intégrateur : la formule « Les yeux en amande, le cœur québécois[14] » nous apparaît être un exemple frappant de cette double influence théorique.

L'idée de contrat social, présentée sous la forme du « projet de société », fait coïncider les notions de patrie étatisée et de république nationale, en posant le concept de volonté générale au-dessus des volontés particulières[15]. En ce sens, Denis Monière souligne avec conviction : *C'est parce qu'elle procède de l'identité nationale que la volonté générale peut réconcilier les intérêts individuels et collectifs* (DM, p. 30). En cela, le concept diffus de volonté générale permet de tenir compte des éléments communautaires de *Gesellschaften*, mais aussi des éléments politiques de *Gemeinschaften*[16].

---

13. Vers tiré du *Préambule au projet de loi sur la souveraineté du Québec*. On aurait pu aussi citer « sur cette terre qui bat en français » pour exprimer l'influence théorique allemande dans l'image suggérée.
14. Slogan et image publicisés sur les autobus et dans les abribus du Québec, financés par le ministère de l'Immigration et des Communautés culturelles du Québec en 1995.
15. Guy Lemarchand, « Structures et conjonctures historiques dans la constitution des nations et des États-nations en Europe du XVIe au XIXe siècle : problématique et nouvelles approches », dans *Actes du Symposium international de l'Université de Rouen-IRED ; Nations, nationalismes, transitions XVIe-XXe siècles*, Paris, Terrains/Éditions sociales, 1993, p. 37.
16. Ferdinand Tönnies a, le premier, mis en relief la similitude et la distinction de ces deux termes qui recoupent notre définition de la nation, en ce qu'elle est communautaire et politique ; *Gesellschaft*, c'est la compagnie, le fait d'être en société « une pure juxtaposition d'individus indépendants les uns des autres » ; *Gemeinschaft*, c'est le partage social d'un espace donné, c'est vivre en commun : « tout ce qui est confiant, intime, vivant exclusivement ensemble ».

Jacques Parizeau l'entend ainsi : [...] *fondamentalement on va vers un Québec où un Québécois c'est quelqu'un qui réside au Québec, en accepte les règles générales de fonctionnement et désire le rester, Québécois, l'être ou le devenir. C'est tout. C'est le désir de l'être qui fait un Québécois, rien d'autre* (JP, p. 254).

Notre projet consiste à créer une matrice du discours des idéologues souverainistes québécois pour la période référendaire de 1995. Cette figure schématique ramènera à une diégèse le récit de la nation québécoise ; autrement dit, elle tentera de le résumer à sa plus simple expression, en puisant à l'argumentaire des dix textes de notre corpus d'analyse. Notre matrice englobera des idées, des dogmes, des théories, des faits et des mythes issus des discours idéologiques. Nous verrons ainsi comment interagissent ces éléments, pour pouvoir ensuite les rassembler en une trame de composition et d'agencement qui fonderait à la fois l'identité québécoise et la légitimité de l'accession nationale à la souveraineté. L'étude de la mise en récit du passé de même que le découpage analytique du rôle des « personnages publics » seront favorisés par une approche sociocritique d'analyse du discours.

L'appréciation de la qualité des liens établis, dans la société discursive québécoise, entre les différents discours souverainistes englobés dans notre échantillon de littérature politique permettra à la fois de dessiner les limites poreuses de l'imaginaire collectif de cette société et de dresser une typologie des récits au cœur des essais politiques étudiés afin de mettre en relief leur forme narrative.

La construction d'une matrice synthétique des essais politiques souverainistes permettra l'émergence d'une hypothèse de compréhension de la machine discursive souverainiste que nous appellerons la « grammaire générative » de l'argumentaire souverainiste. Notre méthode, inspirée de la sociocritique et de l'analyse du discours, sensible à l'histoire des mentalités par le biais des textes littéraires et non littéraires, vise à faire émerger les fonctions identitaires du discours souverainiste.

Des différentes tentatives de s'éloigner des pôles définisseurs de la nation, menées par nombre de philosophes politiques contemporains du monde occidental, nous aurons partagé l'appréciation de la part de l'esthétique comme composante manifeste de l'idée de nation[17] et la potentialité québécoise de ses composantes actantielles : bons, méchants, traîtres et martyrs de la nation. D'accord avec le tableau que peint Jean-Jacques Guinchard, nous acceptons ainsi que « héros et traîtres campent [...] aux limites littérales ou figurées de l'espace national, découpant un dedans d'un dehors hostile et étranger[18] ». Puisque notre projet consiste à évaluer et à composer, à partir des textes choisis, la trame discursive du projet souverainiste, nous aurons aussi à distinguer deux réseaux de symboles indissociables : les droits individuels et l'identité culturelle.

17. Nous nous sommes inspirée d'une formule de Gil Delannoi, dans son article « La nation entre la société et le rêve », *Communications*, n° 45, Paris, Seuil, 1987, Avant-propos.
18. Jean-Jacques Guinchard, *loc. cit.*, p. 19.

CHAPITRE DEUXIÈME

Le discours de connivence, ou comment tout le monde dit la même chose

> L'écrivaillerie semble être un symptôme d'un siècle débordé. Quand écrivîmes-nous tant depuis que nous sommes en trouble ?
>
> Montaigne
> *De la vanité*

LES PROCHAINS chapitres ne visent pas au dépouillement exhaustif des essais politiques inspirés par le débat référendaire. Parmi les textes recensés, nous n'en n'avons choisi que dix, du côté du camp du OUI, qui couvraient néanmoins différents espaces de défense du projet souverainiste. Notre corpus d'analyse semble d'ailleurs présenter un lieu de prédilection pour l'élaboration d'une théorie de l'argumentation souverainiste. Contrairement au genre romanesque, les genres de l'essai, du pamphlet et de la chronique offrent à la fois un lieu d'affirmations, un espace d'hypothèses, de possibles et de virtualités. Quoiqu'il n'apporte pas de résolution aux contradictions et à l'ambiguïté essentielle de la définition de la nation québécoise, notre corpus permet un regard panoramique sur la pensée idéologique au cœur du questionnement national.

PRÉSENTATION DES AUTEURS

Denis Monière relance la question de l'indépendance dans la relation minorité-majorité qu'entretient la province de Québec avec la fédération canadienne. Quelque douze ans après le premier référendum sur la souveraineté du Québec, son essai, *L'indépendance*, publié en 1992 chez Québec/Amérique, valorise l'identité québécoise dans son fondement historique et la relie à l'engagement politique à venir. Pierre Vadeboncœur harangue les Québécois dans son essai *Gouverner ou disparaître* publié chez Typo en 1993. Il y pose un ultimatum mentalitaire : ou bien la défaite doit être assumée ou bien une réussite collective s'impose. Les *Chroniques sociales et politiques (1991-1995)* d'*Une planète nommée Québec* (VLB, 1996) de Pierre Graveline, ancien chroniqueur au quotidien *Le Devoir*, présentent un suivi de l'actualité préréférendaire et posent les questions identitaires de pair avec les idéaux de solidarité, de liberté et de reconnaissance. En évoquant l'expérience acquise lors du dernier référendum, l'auteur indique que *le meilleur est à venir*. Fernand Dumont, pour sa part, vient nourrir le lectorat de sa *Genèse de la société québécoise* d'un autre ouvrage référentiel en proposant les *Raisons communes* (Boréal, 1995) d'une autodétermination québécoise. Postulant que la Révolution tranquille n'est pas terminée, il invite les Québécois à retrouver, à travers la reconnaissance de leur bagage collectif, une énergie et une foi partagées pour continuer à marcher ensemble. Les chroniques de Josée Legault, *Les nouveaux démons* (VLB, 1996), donnent corps à des idées reçues selon lesquelles le débat identitaire québécois est piégé par le manque de cohésion interne du mouvement souverainiste. Abondant dans le même sens, mais dans une forme pamphlétaire, Andrée Ferretti présente son *Parti québécois : Pour ou contre l'indépendance ?* (Lanctôt, 1996) comme une manifestation publique et une demande ultime d'union, dans la pure essence indépendantiste. Écrit en réaction au résultat du référendum de 1995, l'essai de Jacques Limoges, *Le génie québécois. Essai ontologique sur les idéaux identitaires d'un peuple* (Louise Courteau, 1996), reprend le genre synthétique et simplificateur d'un Jacques Bouchard, auteur des *Trente-six cordes sensibles des Québécois* (Héritage, 1978), et tente de réunir les caractéristiques de l'identité québécoise, dans l'obsession de retrouver le « Québec-en-soi ». Enfin, en réponse à la célèbre allocution du premier ministre en poste lors du référendum de 1995, Guy Bouthillier lance *L'obsession ethnique* (Lanctôt, 1997), un véritable cri d'alarme devant l'élaboration d'une définition multiethnique de la nation québécoise. Jacques Parizeau, retiré de la politique active à la suite du référendum de 1995, défend dans *Pour un Québec souverain* (VLB, 1997) une identité et un projet collectifs québécois qui doivent inexorablement trouver leur solution et prendre de l'expansion dans un État-nation. Au terme des commissions itinérantes sur l'avenir du Québec (1995), *Le cœur à l'ouvrage* a été rédigé par le Camp du changement et signé par Lucien Bouchard, Mario Dumont et Jacques Parizeau.

Les textes choisis ne seront pas analysés pour eux-mêmes, quoique aucun de ces ouvrages n'ait encore fait l'objet d'une étude de fond. Notre objectif est plutôt de relier à notre matrice des éléments communs aux discours souverainistes-identitaires québécois, pour ultimement vérifier le fonctionnement de la grammaire souverainiste québécoise, grammaire qui fonctionne selon une logique de la *virtù* telle que prônée par Machiavel, c'est-à-dire selon la capacité intellectuelle et tactique de s'approprier la nécessité, celle-ci étant la souveraineté du Québec.

LES DIFFÉRENTS LIEUX DU DISCOURS SOUVERAINISTE

L'échec de l'Accord du lac Meech – et ses suites sans lendemain politique au sein du Parti libéral du Québec – a mené les leaders du Parti québécois aux sièges convoités du pouvoir à l'Assemblée nationale. Rappelons brièvement les faits : Robert Bourassa fut le leader démenti, par les neuf autres provinces canadiennes, de cette course à l'échec de la ratification des cinq conditions minimales du Québec, celles-ci étant : la reconnaissance (pour l'essentiel symbolique) du caractère distinct de la société québécoise ; le droit de veto sur les institutions ; la permanence d'un relatif contrôle québécois sur l'immigration ; le droit de retrait avec compensation des futurs programmes fédéraux dans les champs de juridiction québécoise ; et la permanence de la présence traditionnelle de trois juges québécois (sur neuf) à la Cour suprême.

À Québec, une tribune de choix est alors érigée pour les membres du PQ, qui seront consultés en majorité lors de l'exercice démocratique surnommé par Jacques Parizeau « l'hiver de la parole ». Puis, d'autres tréteaux plus ou moins stables feront de quelques grands parleurs les points de mire du moment. Il s'agit des commissions itinérantes sur l'avenir du Québec[1]. Le Parti québécois, Jacques Parizeau en tête, se targue de donner une chance unique aux Québécois de s'exprimer sur l'avenir du Québec : *Nous le faisons, ce rassemblement, en étant fidèles à la volonté, passée et actuelle, des Québécois* (JP, p. 129). En effet, peu avant l'élection du PQ, le Mouvement Québec 91 et le rapport Bélanger-Campeau, commandé par Robert Bourassa, avaient conclu au bien-fondé de la tenue d'un référendum sur la souveraineté du Québec dès le printemps 1991[2]. Cette promesse, matérialisée par la loi 150, ne sera pas intégralement tenue par le gouvernement libéral. L'amendement de la loi 150 a en effet permis au gouvernement Bourassa de tenir plutôt un référendum sur les propositions canadiennes à la suite de la conférence de Charlottetown. Le PQ fait de cette question l'essence de sa campagne électorale : ce mandat fournira un référendum sur la souveraineté.

À Ottawa, le Bloc québécois se saisit du micro fédéral pour défendre le projet de la souveraineté du Québec. Pour décrire l'élargissement de la tribune souverainiste, Jean-François Lisée, dans *Le tricheur*, écrit avec humour : « Les relations entre le nouveau parti souverainiste fédéral et le « vieux » parti souverainiste provincial s'apparentent, en texture, au Jell-O. La chose existe. On peut la voir, mais on voit au travers. On peut la toucher, mais on ne peut la saisir[3]. »

À Montréal, le quotidien *Le Devoir* ouvre successivement sa chronique politique à Pierre Graveline et à la politicologue de l'heure Josée Legault. Le premier, craintif devant un apparent décrochage de la citoyenneté, vise à discréditer les « peurs » faites au peuple québécois en parodiant les

1. Il y eut dix-huit commissions itinérantes sur l'avenir du Québec, dont seize régionales, une destinée à entendre les aînés, présidée par Monique Vézina, et une dernière visant les jeunes. Les préoccupations révélées dans les mémoires peuvent se répartir en trois groupes, selon le découpage par thèmes qu'en fait Jacques Parizeau en page 90 de son ouvrage *Pour un Québec souverain :* d'abord, « oui au principe de souveraineté, mais il faudrait en savoir bien davantage sur la façon de la réaliser ; il faut, en tout état de cause, un "projet de société" pour le Québec, même si tous les beaux esprits s'en moquent ; il faut trouver des arrangements avec le Canada, en tout cas, garder l'esprit ouvert à ce propos ».
2. Ce mouvement indépendantiste formé d'artistes et de politiciens francophones, dont Serge Turgeon, président de l'Union des artistes, et Lucien Bouchard, avait comme objectif, outre de demander la tenue d'un référendum québécois sur la souveraineté pour l'année 1991, d'établir la preuve que le projet patriotique se jouait hors des limites frontalières partisanes.
3. Jean-François Lisée, *Le tricheur*, Montréal, Boréal, 1994, p. 89.

menaces des fédéralistes. Si Pierre Graveline crée souvent ce type d'argument par la fiction: [...] *s'il* [le Québec] *ose prendre le chemin de l'indépendance:* [celui-ci entraînera] *des catastrophes économiques de toute nature, la désintégration territoriale et la guerre civile* (PG, p. 33), il se fait aussi le défenseur d'une justice sociale qui mériterait des outils de développement, et surtout, de la part de la population québécoise, une plus grande solidarité dans la lutte contre les injustices et les inégalités. Pierre Graveline impose aux intellectuels un questionnement sur leur engagement politique, qui devrait, selon lui, être plus franchement apparent. Il critique fermement en introduction du recueil de ses chroniques le « vide » que creuse le silence des intellectuels au regard de la cause indépendantiste: *la qualité de la vie démocratique au Québec souffre* [...] *du mutisme des intellectuels, contraints ou séduits en trop grand nombre par des règles institutionnelles de discrétion, de promotion ou de subvention, englués dans la complaisance ou tout simplement soumis à l'étouffante rectitude politique ambiante* (PG, p. 15).

La missionnaire séculière de l'indépendance du Québec, Josée Legault, souhaite, pour sa part, chasser les cinq démons qui, à son avis, hantent la société québécoise. Ces derniers sont associés à cinq phénomènes: la réconciliation « à tout prix », le glissement politique vers la droite, le dénigrement du nationalisme québécois, l'érosion de la démocratie parlementaire et l'obsession du consensus. Toujours dans *Le Devoir*, les éditoriaux acérés de Lise Bissonnette servent de boussole aux intellectuels dans le chemin vers la souveraineté. Ces derniers laissent leur marque en s'exprimant dans la page *Idées* du même quotidien.

Dans les vitrines des librairies, la réimpression des livres-phares de l'idée indépendantiste a la cote. Le manifeste de René Lévesque, *Option Québec* paru chez Typo, et l'essai de Jean Bouthillette, dans la petite collection Lanctôt, *Le Canadien-français et son double* sont deux des principales rééditions. Dans cet étalage de réimpressions se glissent quelques nouveautés qui se distinguent mal des rééditions; on a, entre autres, les ouvrages d'Andrée Ferretti et de Pierre Vadeboncœur, fondés sur des arguments qui tiennent la route depuis fort longtemps: la lutte, la résistance, l'affirmation de la différence québécoise et l'urgence de donner un pays aux Québécois. *Pour ma part,* écrit Andrée Ferretti, *j'ai 61 ans et j'ai bien l'intention de ne pas mourir avant l'accession du Québec à l'indépendance nationale, à moins de mourir pour elle* (AF, p. 14).

Le regretté Fernand Dumont, dont la production était toujours attendue par le lectorat québécois comme un nouvel éclairage, savant et réfléchi, livre alors ses arguments pour fonder au Québec une communauté de pensée qui soit davantage consciente de ses moyens. En 1995, son avant-dernier ouvrage, *Raisons communes*, est un apport majeur à la société québécoise qui, selon l'auteur, est *en panne d'interprétation*. Son livre vient donc répondre à un Pierre Graveline, inquiet du silence des intellectuels. Ses *Raisons communes* sont rassemblées dans un bref essai de philosophie politique qui revisite l'histoire québécoise en étant attentif aux réalités contemporaines, dans le but explicite d'*inspirer le projet d'une société démocratique* dans le Québec nostalgique d'après la Révolution tranquille : *Construction d'une Cité politique, édification d'une culture, renouveau d'une démocratie sociale : ces trois tâches se rejoignent dans la même quête de* ***raisons communes*** (FD, p. 29).

Dans les classes d'université, Denis Monière, alors directeur du département de science politique de l'Université de Montréal, avait préparé le terrain pour le référendum sur la souveraineté en présentant en 1992 une synthèse des histoires de l'indépendance à travers le monde. Sur la carte géographique de l'indépendance dessinée par l'auteur, le Québec compte au nombre des pays en voie de la réaliser. En réaction à la déclaration de Jacques Parizeau sur « l'argent et les votes ethniques » au soir du référendum « perdu », toujours au département de science politique de l'Université de Montréal, Guy Bouthillier lance un débat sans précédent sur la place majeure qu'occupe le discours sur les « ethnies ». À la tête de la Société Saint-Jean-Baptiste, héritier des Ludger Duvernay, Olivar Asselin et Nicole Boudreau, Guy Bouthillier occupe une position extrême. Vigoureux défenseur de l'affichage unilingue français, figure de proue d'une organisation qui valorise la québécitude de souche française, il condamne dans son discours sur les « ethnies » la « spirale ethnique » qui avalerait les sentiments républicains des Québécois.

À l'écart de la production académique, Jacques Limoges semble fier d'appartenir au courant intuitif, celui des discoureurs qui retiennent l'attention dans les tribunes téléphoniques ou les débats télévisés. Sa prise de parole, si elle demeure limitée, appartient toutefois au discours sur l'identité… *Serait-ce un présage si le nom collectif* […] *des Québécois, se termine par le suffixe quoi, comme si ses porteurs avaient toujours une autre question à poser ?* (JaL, p. 22).

Pour sa part, Jacques Parizeau, alors chef du gouvernement péquiste, invite la population à se mobiliser pour un changement de cap : *L'idée* […] *selon laquelle « on obtient ce qu'on veut du fédéral ou on sort » va demeurer jusqu'à nos jours la bonne façon d'attendre Godot. Ou, pour parler comme Marius : « Retenez-moi ou je fais un malheur »* (JP, p. 22). Il transpose aussi le débat de fond sur l'appartenance du Québec au Canada à l'extérieur de l'Assemblée nationale et change de rôle. Pour le compte du camp du OUI, alors situé dans l'Opposition, il prétend défendre une cause morale, plus noble et plus honnête que le camp du NON, qui adopterait des stratégies triviales, se contentant de faire une sauvage opération de camouflage :

> *Pour cacher que l'empereur fédéral est nu. Pour cacher que ce pays dont on nous vante les mérites, il a été construit à crédit, avec les épargnes de nos travailleurs et en hypothéquant l'avenir de nos jeunes. Pour masquer les échecs, répétés, constants, et de plus en plus durs, de toutes les tentatives de réformer ce fédéralisme « tout croche » qui saigne l'économie du Québec* (JP, p. 132).

Le camp du NON, en défendant le fédéralisme canadien, abattrait ce qui est bon dans le Québécois, ce qui serait légitime et aurait le droit de vivre : le sentiment d'indépendance nationale. Tel un travailleur de la mer, Parizeau évite les récifs et tente de dompter les vagues en bon et sérieux capitaine : *Notre tâche, donc, est de convaincre ces Québécois qui ont le goût et la volonté de prendre en main leur destinée qu'il n'y a qu'une seule façon d'être plus autonome, c'est d'être souverain. Bref, notre tâche est de faire en sorte que ces Québécois tirent les conclusions de leurs convictions* (JP, p. 97).

Le cœur à l'ouvrage tente, quant à lui, de cerner les Québécois, à partir des mémoires déposés devant les commissions itinérantes sur l'avenir du Québec, pour présenter un projet de société qui enveloppe le OUI d'un nouveau dynamisme :

> *Nous les avons écoutés et, plus encore, nous les avons entendus… J'allais dire : Nous leur avons obéi. En gros, ils nous ont donné trois grands conseils. Premièrement, faire le plus grand rassemblement possible pour le OUI. Nous l'avons fait. Nous l'avons appelé « Camp du changement »* […] *Troisièmement, donner un contenu*

social à la souveraineté, un projet de société. Nous l'avons fait. Nous l'avons appelé Le Cœur à l'ouvrage. *Et cet hiver de la parole au Québec, ce mode d'emploi que les Québécois nous ont donné pour leur propre souveraineté, est notre bien le plus précieux* (JP, p. 152).

Les discours soutenant la souveraineté du Québec nous semblent chercher la cohérence et la cohésion tout en définissant une identité québécoise de plus en plus confuse autour du référendum de 1995 ; en témoigne cette assertion de Denis Monière : *L'indépendance nationale est devenue un objectif auquel aspirent tous les peuples parce qu'elle est garante de leur identité et de leur cohésion* (DM, p. 22). À cause de l'indépendance, pour elle et avec elle, la définition de l'identité québécoise se frotte à plusieurs contraintes, dont celle du développement du sentiment d'appartenance au Québec en regard de l'identité civique canadienne. Le travail réciproque du singulier vers le pluriel – du « je » au « nous » – et du pluriel québécois, du « nous », vers le singulier d'un État souverain, rassemble toutefois les discours autour de la notion d'accomplissement : « La nation est le "nous" suprême de l'individu moderne[4]. »

Les textes étudiés, s'ils s'entrechoquent parfois ou se recoupent dans les formules employées, ont la qualité de s'écouter ; ils participent d'eux-mêmes et d'une façon manifeste à la démonstration de notre projet. Pris ensemble, ils forment un seul texte très limité en contradictions. En cela, nous nous permettons d'affirmer, avec le théoricien de l'intertextualité, que le mouvement de ces textes provient, sinon de la fusion globale, du moins de la compréhension réciproque : « La compréhension réciproque est une force capitale qui participe à la formation du discours : elle est active, perçue par le discours comme une résistance ou un soutien, comme un enrichissement[5]. » Les ouvrages de notre corpus semblent en effet produire du texte ou du discours, selon le lexique de la sociocritique, s'accordant ainsi avec la très belle définition de Claude Duchet :

4. Chris Southcott, « Au-delà de la conception politique de la nation », *Communications*, n° 45, Paris, Seuil, 1987, p. 56.
5. Mikhaïl Bakhtine, « Discours poétique, discours romanesque », *Esthétique et théorie du roman*, Paris, Gallimard, 1978, p. 103.

Le texte, lui, travaille comme le suc des grappes ; il va vers sa cohérence, efface le monde, se resserre sur son dire essentiel, tente de se fonder en valeur, de détruire l'allusion pour se faire illusion, de devenir le réel qu'il vise, d'être son lieu et sa formule, de supprimer enfin le brouillage des discours parasites : ceux du temps, des lieux, des objets, des corps, des faits de l'histoire, des « scènes » de roman [...]. Mais ce qui menace le texte empêche aussi sa dérive. Ces discours sont des points d'ancrage : ils assurent la situation et donc la communication du texte[6].

LES ACADÉMICIENS DE LA SOUVERAINETÉ

Jacques Parizeau écrit, autour du référendum de 1995, avec la conviction de parler à l'électorat de 1994, qu'il estime alimenté par une nouvelle génération de souverainistes. C'est, pour lui, le *mariage de la sagesse et de la fougue de la jeunesse* qui légitime l'emploi élargi du pronom « nous » dans ses discours. Toutefois, son mandat de premier ministre, clairement donné, à son sens, pour faire la souveraineté du Québec, justifie une mise en contexte du développement de son propre attachement au Québec. Aussi, Jacques Parizeau se propose-t-il lui-même comme figure exemplaire d'un rationalisme éclairé pour lequel les émotions à l'endroit du pays sont secondaires : *On le voit, je suis un souverainiste assez peu conformiste et, initialement, tout au moins, assez peu émotionnel. Ce n'est que petit à petit que j'ai appris à aimer le Québec pour ce qu'il est. Au fond, j'ai choisi un gouvernement avant de choisir un pays* (JP, p. 20). De plus, la voix souverainiste ayant trouvé une tribune de choix à Ottawa, par la force politique du Bloc québécois, opposition officielle à la Chambre des communes depuis 1993[7], Jacques Parizeau profite de ce renfort. À l'intérieur de la Belle Province, il travaille à faire accepter l'idée qu'un nouveau projet de société, mû par les suggestions de tous les souverainistes, est en voie de se réaliser dans un Québec souverain. *J'ai voulu, par ce livre,* écrit Jacques Parizeau, *retracer les principales étapes de la marche du Québec vers son indépendance. Le premier a été écrit par René Lévesque, évidemment* (JP, p. 150). Se situant comme l'héritier, celui de « la prochaine fois », Parizeau révèle ses ambitions et aussi ses déceptions après la divulgation des résultats du référendum de

6. Claude Duchet, « Pour une socio-critique ou variations sur un incipit », *Littérature*, n° 1, 1971, p. 8.
7. Le Bloc québécois a constitué l'opposition officielle jusqu'en 1997.

1995 : *C'est un double sentiment qui m'anime aujourd'hui, à l'heure de regarder le chemin parcouru. Une certaine fierté d'avoir mené le combat jusqu'ici. Une certaine tristesse de n'avoir pas franchi, encore, le dernier pas* (JP, p. 345).

Pierre Graveline, directeur littéraire de VLB et de la collection « Partis pris actuels[8] », a aussi été journaliste et chroniqueur au *Devoir* de 1991 à 1995. *Une planète nommée Québec* est un recueil de chroniques sociopolitiques dans lequel l'auteur se présente comme un énonciateur du sentiment d'urgence face à la question nationale, sentiment qui traverserait le Québec tout entier. S'adressant aux lecteurs du *Devoir*, qui seraient les médiateurs de sa thèse, Pierre Graveline exhorte les Québécois à *refuser les dogmes du néolibéralisme, à préparer une nouvelle et indispensable Révolution tranquille* (PG, p. 16), qui serait à la fois garante et tributaire de l'accession du Québec à la souveraineté.

Prenant le relais de la plume dans la chronique politique du *Devoir*, Josée Legault a publié ses textes dans la même collection que son prédécesseur. Politicologue en vue, recrue du PQ, Josée Legault est bien connue du grand public grâce à ses nombreuses participations à des émissions radiophoniques d'affaires publiques, sur les réseaux aussi bien anglophones que francophones. Membre en règle de l'IPSO, elle préside à l'occasion des assemblées, des tables rondes et commente des communications, en plus de présenter dans *Le Devoir*, de 1995 à 1998, une chronique politique hebdomadaire.

Vice-présidente du Rassemblement pour l'indépendance nationale en 1966 et 1967, Andrée Ferretti prend la parole sur la scène politique depuis l'année de l'Expo. Nommée « Patriote de l'année » par la Société Saint-Jean-Baptiste en 1979, elle se porte à la défense du projet nationaliste jusqu'à se battre, depuis l'intérieur du Parti québécois, pour une indépendance « pure et dure » sans complément assouplisseur (telles les souveraineté-*association*, souveraineté-*partenariat*) : *Après 33 ans de militantisme quotidien pour l'indépendance nationale du peuple québécois, je n'ai plus la patience d'admettre patiemment que des politiciens encore aliénés et/ou en mal de pouvoir en retardent indéfiniment l'échéance* (AF, p. 11).

8. *Pour un Québec souverain* et *Les nouveaux démons* ont aussi été publiés dans cette collection.

Jacques Limoges adopte une approche qu'il qualifie de « sociopsychologique ». L'objet de son livre est le Québec intérieur, le « Québec-en-soi ». Il s'intéresse au « génie » québécois, selon la définition herderienne de *Volksgeist*. En effet, il suit les traces de l'historien Heinz Weinmann, auteur freudien d'une enquête généalogique sur les gestes fondateurs du peuple québécois. Admirateur de Weinmann, Limoges prétend creuser l'inconscient de l'histoire en exposant les « racines » de la psychologie sociale québécoise, suivant de près l'exemple de Jacques Bouchard, qui visait précisément à « codifier des valeurs et des normes souvent séculaires qui déterminent des modes de pensée et des comportements afin que les Québécois se reconnaissent eux-mêmes[9] ». Il se présente aux lecteurs en affichant une attitude débonnaire, mélangeant les aspirations théoriques et le langage familier, voire vulgaire, dans une attitude pathétique, portant, en rhétorique, le nom de chleuasme, qui consiste pour l'écrivain à feindre de se déprécier pour mieux se faire apprécier :

> *Aujourd'hui, il* [cet essai] *est entre vos mains* [...] *Il a réveillé, au plus profond de ma chair, cette dynamique de pissoux-pisseux. Il m'a permis de choisir de ne plus fuir en « pissant » pour progressivement suivre le conseil de la grenouille en honorant mes pleurs. En le soumettant à votre analyse, j'en assume pleinement la paternité* (JaL, p. 74).

À son tour, Guy Bouthillier affiche un esprit républicain et fortement indépendantiste. Le porte-parole du Mouvement Québec-français est professeur au département de science politique de l'Université de Montréal. *L'obsession ethnique*, publiée chez Lanctôt dans la collection « L'histoire au présent », tout comme le pamphlet d'Andrée Ferretti, a l'audace de vouloir prononcer une façon de faire et de penser l'histoire au présent, surtout celle de la mixité ethnique au Québec.

Fernand Dumont, récipiendaire du prix Québec-France 1994 pour sa *Genèse de la société québécoise*, est un sociologue de réputation internationale. Poète et homme de foi, essayiste très apprécié de la communauté universitaire, il présente dans ses *Raisons communes* une analyse sensible à une société québécoise qu'il qualifie de nostalgique de la Révolution tranquille. Son ouvrage est un recueil d'articles publiés dans *Le Devoir*, dans

9. Préambule de l'ouvrage de Jacques Bouchard, *Les 36 cordes sensibles des Québécois d'après les 6 racines vitales*, Montréal, Héritage, 1978. Les « six racines vitales » sont exposées en annexe.

Maintenant, dans *L'Action nationale*, d'extraits de conférences et de textes écrits spécifiquement pour cette publication. Conscient des attentes de son vaste lectorat au Québec et dans le reste du Canada, l'auteur montre une sensibilité particulière à la réception populaire de son ouvrage : *La société démocratique étant ici la préoccupation centrale, la démarche doit demeurer proche de la place publique et ne pas trop bousculer ce sens commun que Descartes, non sans une secrète ironie, disait largement répandu* (FD, p. 14). Fernand Dumont pose des questions concernant la vie contemporaine tout en maintenant la démarche historienne garante du succès de ses ouvrages précédents : *Voici donc ce qui serait un bon point de départ : selon quelles conditions, héritées du passé, remaniées au cours des trente dernières années, la société québécoise comprend-elle son cheminement ?* (FD, p. 17).

Bien connu des Québécois, fondateur de l'éphémère Parti socialiste du Québec et ancien conseiller, négociateur et plaideur invétéré de la CSN, Pierre Vadeboncœur a publié un grand nombre d'articles et de pamphlets pour soutenir l'indépendance du Québec. Depuis 1980, soit depuis sa première « défaite référendaire », le collaborateur des revues *Cité libre* et *Liberté* se consacre à la production d'essais sur le Québec et sur l'art, qui lui ont valu plusieurs prix littéraires au Québec et dans la francophonie. En vue du référendum de 1992 sur les ententes de Charlottetown, il a écrit plusieurs articles indépendantistes dans *Le Devoir*, repris en 1993 dans l'ouvrage *Gouverner ou disparaître*, qui compte aussi quelques textes inédits.

Le caractère flou, ambigu et mouvant des critères de définition de la nation est tel parce que la nation, à l'instar d'autres inventions culturelles, est historique et donc contextuelle. La nation, selon les marxistes, est « une communauté humaine, stable, historiquement constituée, née sur la base d'une communauté de langue, de territoire, de vie économique et de formation psychique qui se traduit dans une communauté de culture[10] ». C'est curieusement autour de cette définition que gravitent les textes que nous étudions. Or, le principal argument des souverainistes, schématisé

10. Georges Haupt, Michaël Löwy et Claudie Weill, *Les marxistes et la question nationale*, 1974, p. 313.

dans le titre de l'essai de Pierre Vadeboncœur, *Gouverner ou disparaître*, ne laisse entrevoir qu'un dilemme, dont la seconde proposition serait une pente fatale. En effet, Jacques Parizeau exprime ainsi la position du choix des Québécois devant la question référendaire, qui, pour lui, ne mène en fait qu'à une scandaleuse hésitation devant une inéluctable impasse :

> *La question référendaire est cruciale parce que les femmes et les hommes du Québec doivent choisir entre se donner un nouveau départ sur des bases saines en votant OUI, ou alors voter NON et rester dans une impasse ruineuse pour le Québec, néfaste pour l'emploi, débilitante pour notre économie* (JP, p. 131).

Bien entendu, ainsi présentée, la souveraineté n'est plus un choix, mais une solution unique à un problème singulier : la minorisation des Québécois dans un Canada centralisé. Être ou ne pas être québécois ? « La politique est de l'ordre de l'être et non de l'ordre du devoir être », répondrait Gérard Mairet, en spécialiste du principe de souveraineté[11]. Les Québécois seront-ils davantage eux-mêmes lorsqu'ils auront acquis leur indépendance politique ? Adoptons avec Fernand Dumont un regard critique sur cette rhétorique :

> *Ou bien les Québécois acquiesceront au projet de la souveraineté. Des luttes qui remontent à la Conquête s'éteindront. Me revient à l'esprit la constatation désabusée de Salluste dans La guerre de Jugurtha : « Les citoyens avaient, pendant la lutte, aspiré au repos ; quand ils le possédèrent, le repos devint pour eux plus dur et plus amer que la lutte elle-même ». La conquête de l'autonomie politique aura-t-elle tari nos préoccupations pour d'autres entreprises où notre culture elle-même est concernée ?* (FD, p. 27).

En outre, pour donner une légitimité partielle à cette assertion, nous pouvons affirmer que la logique de ce type d'argument est celle de la passion pour un projet, et dans ce cas-ci pour un pays ; pour « avoir raison » de le demander, rien ne vaut les raisons du cœur : « La logique des passions est avant tout une logique des conséquences : celles dont on ne veut pas comme celles que l'on veut, et celles sur lesquelles on s'aveugle plus ou moins intentionnellement[12]. » Cette logique de la passion, passion raisonnée plus

11. Gérard Mairet, *Le principe de souveraineté*, Paris, Gallimard, 1997, p. 25.
12. Michel Meyer, *Questions de rhétorique. Langage, raison, séduction*, Paris, Le Livre de Poche, 1992, p. 135.

que raison passionnée, ne peut, à notre sens, qu'accepter de se nourrir aux deux faces de la rhétorique de l'identité : l'identité par la différence et l'identité par la fusion.

Nous verrons, dans les prochains chapitres, comment l'une et l'autre s'articulent dans le discours souverainiste au moyen des concepts empruntés au philosophe Michel Meyer : la rhétorique de la séduction et la rhétorique de la prédation.

DEUXIÈME PARTIE

« NOUS-AUTRES » LES QUÉBÉCOIS : UNE QUESTION DE DÉFINITIONS

CHAPITRE TROISIÈME

La rhétorique de la séduction

Un peuple ne se définit pas. Il s'identifie.
Keba Mbaye
Les droits de l'homme en Afrique

L'EXPRESSION « NOUS-AUTRES », employée dans le langage familier québécois, cerne, ferme ou forme un groupe distinct du « vous-autres » et du « eux-autres »[1]. Cette formule courante, « bien de chez-nous », vient implicitement suggérer un phénomène lié à la rhétorique de la séduction, commun au discours sur le sentiment national : la définition par la différence. Quoiqu'il soit considéré comme un pronom d'usage commun, le « nous-autres » appelle le plus souvent, dans les conversations rapides comme dans celles qui s'éternisent, une question qui ressemble à une contre-attaque : qui ça, « nous-autres » ?

1. Il n'appartient pas qu'aux Québécois de s'identifier par le terme « nous-autres » ; en espagnol, la première personne du pluriel se décline à partir du « nosotros », qui signifie également « nous-autres ». Toutefois, notre analyse se restreindra au cas de la nomination du « nous-autres » québécois. Nous reprenons ici quelques passages d'une communication présentée à l'UQAM en mai 2000 et faisant l'objet d'un article dans les Actes du colloque des jeunes chercheurs du CELAT (publication à venir).

La menace de l'exclusion comme le désir d'inclusion sont inscrits dans l'angoisse du trait d'union. En effet, lorsqu'un locuteur énonce le « nous-autres » comme sujet, il tend à marquer les limites du groupe par un procédé complexe d'exclusions. D'une part, le rapport du « nous » à un groupe d'« autres » équivaut à une distinction. Nous sommes différents des autres. D'autre part, le « nous » lui-même est polyphonique et suggère une intersection avec l'altérité par la conjonction implicite « et » entre les deux termes : nous (et) autres. Nous, c'est l'identité d'un groupe d'individus qui ont au moins une intersection en commun. C'est ce que nous appellerons le « dénominateur commun ».

Suivant cette compréhension de la formule pronominale, le discours souverainiste sur l'identité québécoise retient notre attention à travers plusieurs formulations, plus ou moins heureuses, provenant des ouvrages à l'étude, impliquant l'expression « nous-autres » de façon explicite ou de manière implicite dans l'emploi d'un « nous » aux frontières plus ou moins bien établies.

Il nous semble que la notion de société distincte, au Québec, vient se greffer explicitement sur le concept du « nous-autres », idée complexifiée par le couple référentiel identité/différence. La définition du « nous » québécois s'insère dans le raisonnement tautologique de cette fausse évidence : « nous sommes autres, donc nous sommes nous ». *Bref, voter pour le changement, c'est voter pour nous-mêmes, Québécoises et Québécois, au-delà des politiciens et des partis. Voter OUI, c'est enfin tirer les conclusions de nos convictions. C'est voter pour ce que nous sommes et pour ce que nous voulons devenir* (CC, p. 12). Parce que la réalité de la composition de la société québécoise est difficile à saisir, de même que l'est le rapport de l'individu aux différentes couches de son être, le « nous » québécois est complexifié dans la formule « nous-autres » pour rendre compte de ses velléités : « "Nous autres", à prendre en bloc, est un de ces indices semés inconsciemment dans la parole, dont la signification dépasse la fonction grammaticale parce qu'ils se réfèrent aux actes secrets et complexes d'énonciation[2]. »

En effet, au sein d'une communauté de communication, la conquête de l'identité se joue sur le terrain rhétorique de la séduction : espace de fantasmes et d'ambiguïtés. Qui se ressemble s'assemble et, de même, les con-

2. Paul-Marcel Lemaire, *Nous Québécois*, Montréal, Leméac, 1993, p. 132.

traires s'attirent. La nation, « capable d'incarner un collectif de niveau sociétal en entité individuelle[3] », permet au « nous » de collectionner les « autres » en son sein ; la nation de tradition républicaine donnerait en effet au « nous » une certaine marge d'autonomie interne.

Comment s'exprime le couple identité/différence à travers l'énonciation, par les idéologues, du « nous-autres » québécois à faire nôtre[4] ? Lorsque la nation se définit par la conscience qu'ont ses membres d'y appartenir, le raisonnement est tautologique puisque la nation tient lieu à la fois de postulat et de réalité.

L'objectif n'est pas ici de faire une compilation lexicographique du terme « nous-autres » ni de donner une part d'analyse égale à chacun des ouvrages étudiés. Cependant, notre argumentation se nourrira essentiellement des exemples que nous y aurons puisés. Le seul plan narratif offre déjà la possibilité de voir comment fonctionnent les stratégies rhétoriques de l'identité par la différence. Nous tenterons, dans les troisième et quatrième chapitres, de mettre en lumière les différents modes des stratégies rhétoriques : l'énonciation des valeurs communes et leur érection en bornes identitaires, que nous appellerons « rhétorique de la séduction » ; l'identification précise et diffuse de ce qui n'est pas inscrit dans le groupe du « nous », qui recoupe le concept de « prédation » rhétorique ; et, enfin, la légitimation de ce double processus.

« NOUS-AUTRES » LES QUÉBÉCOIS : UNE QUESTION DE DÉFINITIONS

« À dire qui nous sommes, nous le deviendrons. » L'autodétermination de cette assertion convient, nous semble-t-il, à la conclusion compréhensive souhaitée par les définisseurs de l'identité. À la fois promesses, clichés folklorisants et valeurs quasi universelles, les balises de l'identité québécoise sont présentes dans les dix textes de notre échantillon de littérature politique pour le OUI, elles y sont même redondantes ; elles se donnent

3. Gil Delannoi, *loc. cit.*, p. 10.
4. Michel Meyer, dans ses *Questions de rhétorique* pose ainsi cette problématique : « d'où vient le caractère fondamental de l'identité et de la différence dans la constitution de l'intersubjectif ? » Notre question pourrait s'inscrire en corollaire, en prenant le cas de la définition du « nous » Québécois comme exemple.

comme acceptées, entérinées par une conscience collective dont les essayistes seraient les médiateurs. Ces valeurs procèdent de l'identité du groupe puisqu'elles sont aussi bien des vecteurs de continuité : plus ça change, plus c'est pareil et c'est bien, que des vecteurs de changement : un peuple en voie de se réaliser, de devenir autrement lui-même.

La perception de l'altérité vient stimuler le sentiment d'identité du sujet collectif. Il y a ici, implicitement, une idée proche de celle de la volonté du groupe de se saisir comme un « nous » bien identifié, distinct, unique :

> L'intervention de « autres » auprès de « nous » entraîne un double mouvement de signifiance. Dans le premier mouvement, « autres » se pose à côté du « nous » pour signifier que le sujet collectif, « nous », se perçoit comme distinct de tous ses interlocuteurs, au sein même de la relation dialogale[5].

Le cœur à l'ouvrage est empreint de cette urgence de définir le « nous » québécois, puisque le postulat du camp du OUI : « nous sommes un peuple », se résume dans l'application du principe sous-jacent à celui de l'autodétermination des peuples : un peuple = un pays. Si le peuple, comme on le comprend, est une collectivité qui possède une histoire, un territoire, une culture et une langue, le Camp du changement ajoute à ses constituantes un gouvernement souverain. Du reste, Denis Monière insiste pour ajouter à ces éléments que :

> *Pour former un peuple, il faut en plus qu'il y ait une volonté de vivre ensemble et volonté d'être indépendants des autres peuples. Enfin, un peuple se distingue des autres communautés humaines par le fait de posséder une organisation politique qui ait suffisamment d'autorité pour incarner cette volonté et représenter cette collectivité* (DM, p. 33).

Ces dénominateurs communs amènent une qualification du nous : [...] *ces traits qui nous sont propres s'expriment dans nos valeurs et nos attitudes.* Même la typographie du *Cœur à l'ouvrage* interpelle explicitement un « nous » différencié en composant en caractères gras les adjectifs possessifs : [...] ***leurs*** *priorités ne sont pas* ***nos*** *priorités.* ***Leurs*** *attitudes devant le changement ne sont pas* ***nos*** *attitudes.* ***Leurs*** *solutions ne sont pas* ***nos***

5. Paul-Marcel Lemaire, *op. cit.*, p. 132.

solutions (CC, p. 11). Si, à la seule lecture formelle, l'agressivité de la possession simple est perceptible, l'argumentation par l'exemple vient plutôt jouer sur le réconfort qu'offrent le sentiment de connivence et la consolidation des valeurs dites québécoises par opposition à celles des « autres ». Entendons-les, dans le discours de la connivence, comme les Américains et les Canadiens : « Il y a une version québécoise de l'*Unamerican* du temps de MacCarthy[6] »... Voilà, certains traits communs aux Québécois sont identifiables. Cependant, ce qui transforme ces caractéristiques en différence essentielle permettant de se nommer comme un « nous » national est d'ordre intuitif : « Son essence [la nation] est sentimentale, intuitive, indémontrable et cependant évidente[7]. »

LA PROBLÉMATIQUE DU TRAIT D'UNION

On l'a vu, l'effort d'énonciation en vue d'une approbation et d'une identification se fait donc sur plusieurs niveaux. Apparemment faciles à cumuler, les différents vecteurs identitaires tentent de rassembler sous le critère de la distinction certains traits qui peuvent s'appliquer, en définitive, à plusieurs regroupements : nationaux, populaires ou familiaux. Aussi, la rhétorique de la séduction permet-elle la diminution de la distance entre les sujets engagés : « Bref, la différence doit s'expier, car elle est comme une offense au groupe dans son identité, même si elle sert à la lui révéler[8]. »

En ce sens, Guy Bouthillier se défend bien de donner au « nous » un sens unique, ethnique, qui procéderait par l'exclusion des « autres ». Au contraire, sa position rhétorique à l'égard de ces derniers est celle du séducteur : « La logique du prédateur, c'est le tiers exclu, tandis que la logique de la séduction, c'est socialement celle du tiers inclus[9]. » D'esprit républicain, Guy Bouthillier souhaite fonder au Québec un pays de citoyens et non pas un pays composé d'immigrants *venus de tous les coins de cet universel vivre parmi* ***nous*** (GB, p. 208). Sa prise de position sonne

6. Régine Robin, « Citoyenneté culturaliste, citoyenneté civique », dans Khadiyatoulah Fall *et al.*, *Mots, représentations*, Ottawa, PUO, 1994, p. 192.
7. Jean-Jacques Guinchard, *loc. cit.*, 1987, p. 33.
8. Michel Meyer, *op. cit.*, p. 131.
9. *Ibid.*, p. 125.

étrangement dissonante parmi les autres discours intégrateurs ; d'où viendrait la force de cohésion d'un « nous » fort, sinon de son visage collectif accueillant, cohérent, séduisant ? La chanson de Gilles Vigneault *Mon pays* (mon pays, ce n'est pas un pays, c'est l'hiver...) amène pertinemment et d'une façon particulièrement sensible l'idée communautaire exprimée poétiquement : « et je dirai à tous les hommes de la Terre / ma maison c'est votre maison ». En effet, l'hiver, sa rigueur et sa blancheur, n'offre pas à tous, en prime, le confort d'une maison. Si l'hiver est à tous, paraphrasons, si le Québec est à tous, il faut aller plus loin, comme le dit la chanson, et servir davantage que d'un refuge à ceux qui partagent notre hiver. C'est d'ailleurs l'opinion de Fernand Dumont : *On parle souvent d'accueil aux immigrants avec les accents pieux qui conviennent ; il serait utile d'aller plus loin, de nous regarder dans le miroir qu'ils nous tendent. Cela contribue à l'interprétation de ce que nous sommes* (FD, p. 21). Si le conseil prodigué par Fernand Dumont dans cet extrait permet au groupe « nous » de reconnaître dans l'accueil des immigrants une valeur-miroir, comme nous le verrons plus loin dans ce chapitre, il permet aussi d'entreprendre une démarche réflexive sur l'appartenance de ces derniers à la communauté du Québec et à l'espace d'intégration disponible. Il demeure toutefois que les immigrants glissent, dans son discours, à l'extérieur du « nous ». Même son de cloche chez Denis Monière, qui prétend que, pour être Québécois, il ne s'agirait, en théorie, que d'habiter au Québec :

> *Mais en pratique, tous ceux qui vivent au Québec ne sont pas nécessairement Québécois, non pas parce qu'ils sont exclus de la nationalité en vertu de critères ethniques* [...] *mais parce qu'ils préfèrent une autre identité, c'est-à-dire qu'ils se définissent d'abord et avant tout comme Canadiens. Être Québécois, c'est d'abord choisir de s'identifier comme tel, ce qui signifie accepter que la majorité du peuple québécois soit de culture et de langue française et aspire à vivre conformément à cette spécificité* (DM, p. 77).

En effet, la séduction procède comme si la distance était abolie ou n'avait plus d'importance[10]. En se sentant appartenir à l'humanité, celle qui préside à la constitution de la Charte des droits de l'homme, les Québécois pourraient ainsi se recentrer sur ce qui leur appartient d'unique : « La séduction a pour objet une différence [...] pour atteindre indirecte-

10. Michel Meyer, *op. cit.*, p. 125.

ment l'identité, elle cristallise l'apparence dans laquelle le sujet peut se réfugier. De vide, le Moi [le « nous »] est devenu plein, plein de cette apparence creuse qui se suffit à elle-même[11]. » La qualification floue, diffuse, voire englobante, du Québécois dans le citoyen pour n'en faire qu'un participant à un nouveau projet de société, joue sur deux niveaux : l'appartenance à l'universel et le sentiment régional. La valeur démocratique, l'une des valeurs présumées « authentiques » des Québécois, sert ainsi de pivot à une identité civique au contrat social signé par la majorité. Pour présenter l'idée tocquevillienne de la démocratie, Daniel Jacques s'exprime ainsi : « L'imaginaire démocratique amène à penser qu'il y a une primauté morale incontournable de la similitude sur la différence ; autrement dit, ce que les hommes ont en commun a plus de valeur, en définitive, que ce qui les distingue[12]. » Cet exercice de fusion, apparemment libérateur pour la société québécoise, est abondamment critiqué en regard de la même démarche transposée au cas canadien. En effet, la citoyenneté n'est-elle pas une identité de surface dans un tout individuel où l'identité nationale serait décantée ? Autrement dit, la citoyenneté serait-elle davantage une activité pratique qu'un noyau identitaire ?

Rappelons la remarque incisive de Fernand Dumont à propos du texte officiel déposé aux Communes d'Ottawa sur le multiculturalisme de la nation canadienne, où il est dit que « Le pluralisme culturel est l'essence même de l'unité canadienne » : *Avouons qu'une* essence *qui est aussi un* pluralisme, *l'imagination éprouve quelque difficulté à se la représenter. On achoppe encore sur la distinction proposée* [...] *entre* ***appartenance*** *et* ***identité*** (FD, p. 37-38). Néanmoins, interrogeons-nous sur la difficulté d'énoncer la nation républicaine sans avoir recours à un identitaire, c'est-à-dire sans en appeler à un catalogue de références à partir duquel l'identité aurait la possibilité de se constituer. En ce sens, le questionnement de Fernand Dumont nous rapproche du caractère « nécessaire » de la définition du Québécois par son « essence ». Cette fibre québécoise trouvera-t-elle le moyen de s'enraciner dans un projet de société où l'idée du contrat social domine celle de la manifestation culturelle populaire ? *Les Québécois francophones qui songent à la souveraineté pour échapper au nivellement, pour*

11. *Ibid.*, p. 132.
12. Daniel Jacques, *Nationalisme et démocratie*, Montréal, Boréal, 1998, p. 108-109.

s'assurer d'une société distincte, vont-ils confondre eux aussi leur propre nation avec un État, celui du Québec ? (FD, p. 48).

LA DIFFÉRENCE QUÉBÉCOISE

Appuyée par des sondages sur les habitudes des Québécois, la thèse de la distinction québécoise s'avère patente dans la vie quotidienne, du fait que chacun des gestes posés, si anodin soit-il, est « différent ». De ces preuves, nous pouvons déduire que la nation québécoise a la conscience d'exister bien avant son accession à la souveraineté. Ainsi, le fait de regarder les téléromans, de magasiner dans les boutiques, de suivre la mode, de surveiller les calories ingérées, de faire de la bicyclette, de jouer à la loterie, d'avoir une assurance-vie et d'avoir un compte à la caisse populaire confirme que le « nous » est bien de « chez-nous » : *tous ces exemples reflètent une société profondément distincte, plus spontanée, pratique, régionale et humaine* (CC, p. 9).

À la fois régionale et humaine, la position du Québécois apparaît paradoxale dans un monde où l'individu règne en maître ; elle se réfugie néanmoins dans des expressions issues de la sagesse populaire : « charité bien ordonnée commence par soi-même », « le plus petit dans le plus grand », et trouve son sens par le travail logique de la cohérence : *Tous les peuples cherchent donc d'une manière ou de l'autre à accéder à l'indépendance, car le sens commun indique qu'il vaut mieux être maître de son destin et de se gouverner soi-même pour assurer sa survie et sa postérité puisque nul autre que soi-même ne sait mieux ce qui lui convient* (DM, p. 20). Néanmoins, la générosité des Québécois n'aurait pas de borne ! Elle s'appliquerait aux autres peuples d'abord, puisque l'expérience du prochain, même étranger – surtout lorsqu'il est le voisin, suivant la parabole du bon Samaritain –, peut toujours servir d'exemple : *Indépendantistes, nous l'étions pour les autres* [Israël] *avant de l'être pour nous-mêmes ; plus précisément, pour les autres, en attendant de l'être pour nous-mêmes* (GB, p. 224).

L'argumentaire souverainiste, préparant le terrain pour le référendum de 1995, s'appuie sur la figure d'autorité qu'est le secrétaire général de l'ONU, Boutros Boutros-Ghali, qui révélait aux Montréalais réunis le 23 mai 1992 qu'il faut d'abord être soi-même : *Un monde en ordre est un monde de nations indépendantes, ouvertes les unes aux autres dans le respect de leurs différences et de leurs similitudes. C'est ce que j'ai appelé la logique féconde des nationalités et de l'universalité* (cité par JP, p. 98). Bien que le *Préambule au projet de loi sur la souveraineté* effectue un bon nombre de dérapages entre l'idée de la nation civique et l'idée de patrie, les théoriciens de la nation sont formels. En effet, les Anthony Smith et Ernst Gellner écartent toute notion « non politique » en ce qui a trait à la nation. En corollaire, Parizeau invite les Québécois à agir selon l'ordre soi-disant naturel des priorités : d'abord, les Québécois devraient soutenir une identité forte en s'offrant officiellement l'étiquette de nation politique, pour pouvoir ensuite exercer leur tolérance dans un monde aux frontières géo-économiques de plus en plus éclatées : *Nous voulons devenir citoyens du monde, sans intermédiaire et sans compromis boiteux, sans animosité et sans agressivité* (JP, p. 98).

Les contre-exemples identitaires proposés par le Camp du changement permettent aux lecteurs de s'identifier à des coutumes qui ne sont pas celles des Américains. Ces valeurs repoussoirs sont ainsi cataloguées comme ne « nous » représentant pas : « Une référence négative à l'autre, à l'étranger, équilibre et consolide cette autoréférence communautaire[13]. » Protégeant le « nous » et les « autres », le Camp du changement insiste sur la différence essentielle des Québécois, en invoquant le caractère naturel de la diversité des peuples et des mentalités : *Les Québécois ne sont pas meilleurs ou pires que les autres peuples de la Terre. Cependant, ils sont différents. Selon les experts, les Québécois sont aussi différents des Canadiens-anglais que les Français sont différents des Allemands, par exemple* (CC, p. 7). À défaut de pouvoir comparer tous les peuples de la Terre sur une base commune, le *topos* du plus et du moins sert aussi de pivot à l'argumentation du Camp du changement : plus respectueux des droits individuels, les Québécois seraient moins belliqueux que leurs voisins (les Américains), et plus valeureux que leurs voisins (les Canadiens)[14]. La loi québécoise serait ainsi *plus généreuse que la loi fédérale, elle a plus de cœur* (CC, p. 23).

Suivant la rhétorique de la séduction, l'argumentaire souverainiste produit des références négatives à l'« autre », en inférant celles-ci dans un discours concernant le groupe québécois prononcé au superlatif. Cette distinction fonctionne dans la logique de la séduction dans la mesure où la

13. Gil Delannoi, *loc. cit.*, p. 9.
14. *Ibid.*, p. 8.

différence est expulsée, comme l'écrit Michel Meyer, « projetée rhétoriquement par un discours qui constitue cette différence et crée, *a contrario* le plus souvent, une identité[15] ».

Poursuivant la logique répandue de la tradition populaire judéo-chrétienne, le Camp du changement professe la loi du talion, en limitant toutefois la responsabilité au seul plan de l'intention : [On doit] *ne pas faire aux autres ce qu'on n'aime pas que les autres nous fassent* [...] *nous avons l'intention d'être particulièrement respectueux des droits de nos minorités au Québec* (CC, p. 73).

Cette mise au jour des actions publiques menées sur une base privée concorde avec ce que Nadia Khouri appelle la « présomption d'homogénéité » : « Elle [la présomption] ravale la collectivité à une représentation unique, celle d'une communauté de référence [voire de gestes référentiels], monovalente et globale, se distinguant de toutes les autres[16]. » Porteur de cette présomption, Jacques Parizeau, invité à prononcer quelques mots à l'Institut France-Amérique de Paris, en 1995, tente de définir la nation, en apparente continuité avec l'héritage renanien, afin de doubler l'idée de « tronc commun », soit d'homogénéité partielle, de l'idée de « nation ouverte » :

> *La nation ouverte ne nie pas que son élément constitutif d'origine pouvait être ethnique. C'est le cas de toutes les grandes nations d'Europe, dont la France. Mais elle accepte comme souhaitable et heureuse la mutation de cet élément d'origine, sa transformation en un élément identitaire et culturel qui n'est plus synonyme d'ethnicité. En clair, l'appartenance à la nation n'est plus fonction de l'appartenance à une ethnie, mais fonction de l'identification à un tronc commun de valeurs sociales et culturelles distinctes de celles des nations voisines* [...] *Ainsi définie, la nation ouverte respecte d'autant mieux les minorités qui cohabitent sur son territoire et qui ne s'identifient que partiellement au tronc commun majoritaire* (JP, p. 319).

En ce sens, la définition du « nous » québécois a, selon le premier ministre québécois de l'époque, un mandat qui vise l'assouplissement des valeurs dures, qui vise la multiplication des valeurs extensibles pour les faire adopter, entériner, par le plus grand nombre possible de Québécois :

15. Michel Meyer, *op. cit.*, p. 127.
16. Nadia Khouri, « Nous sommes tous distincts : heurs et malheurs d'une formule définitionnelle », dans K. Fall (dir.), *Mots, représentations*, Ottawa, PUO, 1994, p. 253.

Notre avenir commun est entre les mains de tous ceux pour qui le Québec est une patrie[17]. Se posent alors des objections rhétoriques simples : la cohabitation de plusieurs individus dans l'espace d'une nation civique nécessite-t-elle une légitimation d'ordre culturel ? La patrie est-elle une constituante essentielle de l'État civique ?

Les réponses nationalistes sont diffuses et confuses. Dans certains milieux, on parle de choix responsable, dans d'autres, de patrie ou d'endroit où il fait bon vivre. Être reconnu ou être ? En matière d'identité, la société distincte met en avant son caractère francophone. La langue serait-elle un trait de cohésion protonationale ? Telle est la question qui nous laisse un sentiment d'étrange ambiguïté. Si « la langue invite à se réunir ; elle n'y force pas », aurait répondu Renan...[18] Guy Bouthillier dresse avec lucidité et ludicité les marqueurs du « nous » aux accents français : les « Francos », les « francophones[19] », les « Canadiens français » de souche, les « Franco-Québécois » et les « néo-francophones ». Cette énumération recoupe ce que Guy Bouthillier appelle l'*obsession ethnique*. Depuis la Conquête anglaise de 1759, les tensions ethniques auraient agi avec puissance dans la formation de la société québécoise. La cohabitation territoriale et culturelle pourrait confirmer l'appartenance nationale par le rejet de l'« autre », « celui qui n'est pas d'ici » devenant l'ennemi héréditaire[20].

Josée Legault, iconoclaste, lance ce commentaire à propos du mémoire sur l'enseignement de l'histoire présenté au gouvernement du Québec : *Si le rapport tient tant à une vision ethniciste* [ouverture à l'histoire pluriethnique du territoire québécois] *que fait-il de l'ethnie la plus nombreuse au Québec ?* (JL, p. 55). De là les tabous institués dans les différentes nomenclatures pour définir une même réalité – et un malaise constant et obsessionnel – quant au fait de nommer les groupes en puissance au sein de la communauté de communication québécoise.

La définition proposée par Andrée Ferretti ne participe pas de cette transcendance ; elle est, sans contredit, très explicite. Stimulée par l'apparent mépris des Canadiens anglais pour le travail des fondateurs-civilisateurs du pays canadien, elle lance : *Pour eux, en effet, nous sommes une minorité*

17. Le Camp du changement cite le *Préambule au projet de loi sur la souveraineté* en page 73.
18. Ernest Renan, section II, paragraphe 175.
19. « Ayant voté à 60 % pour le OUI », souligne Bouthillier.
20. Gil Delannoi, *loc. cit.*, p. 9.

ethnique comme les autres et non LE peuple fondateur de ce pays, bien que nous en ayons les premiers modelé l'espace, du golfe Saint-Laurent aux Rocheuses (AF, p. 21).

Abondant dans le même sens que les Josée Legault et Andrée Ferretti, Guy Bouthillier craint ce que la rhétorique de la séduction tend à produire, soit un amalgame avec la notion de « nous ». Orthodoxe, le président de la Société Saint-Jean-Baptiste ne cache pas son inquiétude de voir diminuer le mérite du peuple fondateur en se montrant ouvert à l'intégration des néo-Québécois. En évacuant la dimension distinctive, francophone, des Québécois de souche dans le terme « nous », les Québécois ne seraient plus récompensés d'avoir bâti, non seulement, dans l'histoire ancienne, le Canada, mais, dans l'histoire projetée, le pays du Québec :

> *En effet, si les Québécois francophones, qui ont conscience d'un enracinement collectif de plusieurs siècles, se retrouvent au même rang* [démographique] *que les immigrants de fraîche date, ces derniers se placent à coup sûr, et avec eux leurs enfants et petits-enfants, dans la fâcheuse position où ils se feront demander dans 10, 20, et même 50 ans : « Mais de quel pays venez-vous donc ? »* (GB, p. 119).

Dans quelle mesure l'idéal républicain gagne-t-il en profondeur ? « Cette considération exclusive de la langue a, comme l'attention trop forte donnée à la race, ses dangers, ses inconvénients. Quand on y met de l'exagération, on se renferme dans une culture déterminée, tenue pour nationale ; on se limite, on se claquemure[21] », écrivait Renan à la fin du siècle dernier. Pour Fernand Dumont, *La langue n'est qu'un des facteurs de tensions et de conflits où elle joue le rôle de symbole* (FD, p. 21). En ce sens, la cohabitation serait la règle d'usage en ce qui concerne la vie communautaire des groupes anglophone et francophone, mais des interférences existent sur plusieurs plans. Apparemment, selon Fernand Dumont, les deux groupes en présence communiquent peu, et ce n'est pas qu'une question de langue, mais surtout une question de réseaux, de pertinence et de préoccupations. Jacques Parizeau demeure toutefois convaincu que *le seul critère important quant à l'orientation du vote sur la souveraineté, c'est la langue. Ce n'est ni la race ni la couleur ; c'est la langue. Je connais beaucoup de souverainistes d'origine haïtienne alors que je n'en connais aucun chez les Jamaï-*

21. Ernest Renan, section II, paragraphes 207-210.

cains... (JP, p. 41)[22]. Encore une fois, l'emploi des points de suspension suggère l'argument du *distinguo:* les Noirs ne forment pas un groupe homogène, leur origine langagière est au cœur de leur définition et, par conséquent, au Québec, garante de leur intégration au projet de défense de la langue. Le fait de marquer la différence en employant l'expression «d'origine haïtienne» infère d'un côté le Québécois intégré, le néo-Québécois, tandis que l'autre groupe en présence, par son caractère anglophone, ne semble mériter qu'une appellation étrangère; ce ne sont pas des Québécois d'origine jamaïcaine, mais des Jamaïcains vivant au Québec: *La race et la couleur n'y ont rien à voir. C'est plutôt une question de langue. En réalité, c'est le facteur prépondérant* (JP, p. 162).

LES RELIEFS ANTICIPÉS DES VALEURS QUÉBÉCOISES

Au regard de la primauté de la langue dans la définition de l'appartenance québécoise, les arguments des différents textes étudiés convergent. La langue offre un espace de ralliement très vaste, depuis les échanges privés jusqu'à une communauté de pensée qui discourt en français, inspirée par un génie de la langue qui rend la connivence possible, ce que certains appellent la solidarité: *Les gens de ce pays sont des gens de parole. La langue québécoise est unique* [...]. *Nous nous en servons pour raconter des histoires, exprimer nos expériences, faire jaillir notre humour* (CC, p. 8). Jouant sur les différents sens que peut prendre le mot parole, cet extrait met en relief les valeurs que sont la confiance et la responsabilité, de même qu'il évoque l'abondance des discours dans l'oralité québécoise. En effet, cette formule poétique de Gilles Vigneault est entrée dans le lexique de l'autodéfinition des Québécois, si bien que Jacques Parizeau, pour nommer le mouvement de participation aux commissions itinérantes sur l'avenir du Québec, intègre un code d'honneur, un serment à la patrie en devenir par la formule «l'hiver de la parole». En effet, pendant le mois le plus froid de l'année, 53 000 Québécois ont répondu à l'invitation du gouvernement

22. Même Michel Venne reprend ces mots à son compte, peut-être pour les avoir trop étudiés, dans son éditorial du 22 décembre 2000 concernant l'affaire Michaud (*Le Devoir*, p. A-8): «Qui n'a pas déjà rencontré un Québécois d'origine haïtienne plus convaincu de la souveraineté du Québec que tous les Tremblay du Lac Saint-Jean réunis?»

péquiste. Dans ce contexte, on retrouve les qualités typiquement québécoises que Lise Tremblay suggère à Jacques Limoges : *Figurent dans les forces québécoises la simplicité et la franchise abrupte du témoignage personnel, une grande capacité d'écoute et de respect des autres, la chaleur spontanée des rapports humains*[23]. Le coin du feu, la résistance aux tempêtes extérieures, l'intimité de la parole et la force de l'engagement se trouvent impliqués dans cette métaphore mettant en scène l'exercice démocratique de la déposition de mémoires sur l'avenir du Québec. Toutefois, le sens de la métaphore de la parole peut être renversé, dans la logique populaire où les « grands parleurs » sont des « petits faiseurs ». On aurait là une explication toute simple de l'apparente « ambivalence des Québécois ». Les Québécois prêteraient, selon le sens premier de la métaphore, un véritable serment dans l'acte de parole : « Produit de la volonté, résultat de la force, l'État est pour ainsi dire cause de soi et c'est précisément cette autonomie de la participation humaine qu'exprime le principe de souveraineté : *auto-nomie* de l'action humaine se donnant à soi-même sa loi[24]. » Non seulement prêteraient-ils serment à leur identité, mais ils se donneraient naissance à eux-mêmes, par l'action symbolique et étymologique du mot même autonomie : auto (soi-même)-nomie (du grec *nomos :* ce qui est attribué en partage), se nommer soi-même : « Derrière la lutte des hommes pour une mutuelle "reconnaissance" se dessine ainsi le mouvement d'une collectivité qui tente de se comporter comme un "je" collectif[25]. » Cette autoréférence, travail réciproque du « nous » vers le « je » symbolisé par la voix au concert des nations, et du « je » vers le « nous » projeté dans un idéal communautaire, « culmine dans le thème sacro-saint de l'indépendance nationale[26] ». En effet, seul le concept de souveraineté permet l'application profane du fondement de la puissance dans un État qui défendrait l'identité. Aussi, la souveraineté, selon Jean Bodin, renverrait-elle à l'idée de production de soi-même par soi, à l'idée d'indépendance et d'autosuffisance[27].

23. Jacques Limoges cite en page 78 L. Tremblay, *La pêche blanche*, Montréal, L'Hexagone, 1994, p. 57.
24. Gérard Mairet, *op. cit.*, p. 31 ; les mots sont en italique dans le texte.
25. Chris Southcott, *loc. cit.*, cite Claude Lefort en page 56.
26. Gil Delannoi, *loc. cit.*, p. 10.
27. Gérard Mairet, *op. cit.*, cite Jean Bodin en page 31. Il poursuit ainsi, en page 49 : « Le mythe de la souveraineté [comme séquence profane de fondation de la loi] – séquence état de nature, pacte, état de société – est le mythe fondateur de l'avènement historique de la loi : Dieu n'est plus fondement et ne garantit plus les contrats. »

Dans un langage ampoulé, Jacques Limoges propose à son tour un état du projet identitaire :

> *À l'aube du XXIe siècle, on peut être Québécoise ou Québécois à plusieurs degrés et à plusieurs titres, que l'on peut souvent cumuler. Québécoise ou Québécois par le sang, par le temps historique ou encore par l'espace géographique ; Québécoise ou Québécois par l'adoption par ce pays ou de ce pays, Québécoise ou Québécois par l'amour que l'on a pour ce coin du globe* [...] *L'idéal identitaire mis ici de l'avant se veut inclusif à dominante intégrationniste* (JaL, p. 24).

Ce qui, au premier degré, apparaît comme un constat est sans doute une forme de l'argument de la division. Il est dans l'ordre du pensable de s'interroger ainsi : peut-on être plus ou moins Québécois ? En cumulant des parties, en en gommant d'autres ? L'idéal identitaire formulé par le Camp du changement est en ce sens beaucoup plus explicite sur la forme que peut prendre l'ouverture intégratrice. En somme, il propose de créer ce que « nous » sommes déjà, quoiqu'il n'y ait aucune coïncidence possible du présent et de l'origine ; aucune société, fût-elle accueillante, voire en cours de définition, ne peut prétendre à une radicale nouveauté[28]. À propos des décisions qui seront prises par un Québec souverain, *Le cœur à l'ouvrage* réconforte : *Mais il est certain que ces nuances seront à notre image et que nous nous y reconnaîtrons. Ce* [faire la souveraineté du Québec] *n'est pas un caprice : la démocratie et la justice ne peuvent fonctionner que lorsque les gens s'y reconnaissent et y font, par conséquent, confiance* (CC, p. 35).

PROBLÈME D'IDENTITÉ

« Dites-moi qui je suis, pour que je sois ce que vous dites[29]. » Cette demande, inférée par les définisseurs de l'identité, légitime en elle-même toute leur action. Le nécessaire point de rencontre de l'intersubjectif définit une identité assez flexible pour étirer le « nous » jusqu'à la périphérie des « autres ». Cette identité doit cependant être assez forte pour motiver la quête d'une indépendance nationale basée sur des valeurs communes. Cette première définition sous forme d'aphorisme entreprend

28. Notre propos est directement emprunté à Daniel Jacques, *op. cit.*, qui s'inspire lui-même de Tocqueville, p. 98.
29. Michel Meyer, *op. cit.*, p. 133.

notamment un travail de phagocytose et, dès lors, de transformation des valeurs individuelles en traits presque universaux. Aussi, « La séduction, en créant un imaginaire, nous touche [t-elle] par là où nous sommes *sensibles* dans nos désirs intimes qui sont “métaphorisés”, déplacés en identités nouvelles, où ils peuvent se donner libre cours sans nous confronter à leur insaturabilité essentielle[30] ». L'idée tissée en filigrane dans la formule « nous-autres » est justement contenue dans son trait d'union. Ce trait d'union peut être celui de la « camaraderie horizontale » de Benedict Anderson, ou encore celui du lien fraternel étudié en correspondance avec l'idée de nation par Chris Southcott[31]. La transmutation d'une identité stable en une identité circonstancielle, édulcorée peut-être, mais porteuse d'une nouvelle tendance, appartient au registre pragmatique. Jacques Limoges professe la qualité de cette transformation : [...] *le Québec actuel a vécu dans un laps de temps relativement court de nombreuses mutations socio-politiques. Ses habitants, souvent même de leur vivant, ont été régulièrement dépossédés de leurs symboles identitaires les plus intimes (noms, titres, hymnes)* (JaL, p. 23). Selon l'auteur, le travail de réappropriation, dans le compromis, aurait rendu les Québécois sensibles à l'activité de se re-nommer et de se dé-nommer. L'accueil d'une nouvelle identité, codifiée celle-là, pourrait servir enfin d'ouverture à un lieu de rassemblement, où les moyens d'autoreconnaissance et de re-devenir se joueraient en simultané. « Parce que l'identité organique, elle ne se développe qu'en affirmant sa spécificité, sa distinction, ses particularismes, il ne s'agit pas d'une pensée contractualiste mais d'une pensée de l'origine ; une identité non-construite mais donnée, héritée ; d'une identité close[32]. »

Le problème de l'identité québécoise hésite, nous l'avons vu, entre une définition herderienne et une définition républicaine de la nation. La différence québécoise, dans les termes du *Cœur à l'ouvrage*, *est partout présente, souvent changeante et ne peut être définie une fois pour toutes. Nous savons cependant que nous sommes à la jonction de trois civilisations* (CC, p. 7). En outre, il nous semble qu'il y ait une hiérarchie implicite dans l'élaboration de cette définition qui se prétend nouvelle. Le « nous-autres » québécois, s'il est prêt à intégrer d'autres qualificatifs que ceux de

30. *Ibid.*, p. 132.
31. « La meilleure façon de penser la nation est de la penser comme une communauté imaginaire basée sur des mythes fraternels », écrit Chris Southcott, *loc. cit.*, p. 66.
32. Lukas Sosoe, cité par Régine Robin, *loc. cit.*, p. 189.

la tradition française, aura à négocier la distance avec l'« autre », qu'il soit intégré dans la dialectique moderne de « l'autre proche » ou dans celle, plus ancienne, de « l'autre éloigné »[33]. Les trois civilisations, française, anglaise et américaine, au confluent desquelles s'érige la référence québécoise, s'entremêlent dans leurs apports théoriques et pratiques à la définition de la nation québécoise par l'ethnie. L'origine ethnique nous apparaît constituer une donne d'importance très présente dans l'historiographie québécoise, depuis les écrits de Thomas Chapais jusque dans les récents ouvrages des Linteau, Durocher, Robert et Ricard, qui font une large place aux récits de l'immigration au Québec[34]. La donne de l'origine ethnique *court*, écrit Guy Bouthillier, *tel un fil conducteur, tout au long de notre histoire* (GB, p. 98).

> *Nous, les francophones, avons en effet un problème d'identité. Examinons pendant un instant le processus d'identité qu'un homme qui serait aujourd'hui octogénaire aurait suivi au cours de sa vie. Quand il est né, il était « Canadien » par rapport aux « Anglais ». Dans les années quarante et cinquante, il est devenu un « Canadien français » par rapport aux « Canadiens anglais ». Il y a des bonnes chances qu'il se définisse aujourd'hui – du moins son fils le fait – comme un « Québécois » par rapport aux Canadiens. Trois identités au cours de sa vie !* (JP, p. 163)[35].

En effet, le Canadien, devenu membre du ROC, n'est plus celui qui défendait le cap Diamant en 1759. Le nom du « nous » est devenu le nom du voisin, voire de l'ennemi. Le Canadien n'est plus le fier porteur du chandail de hockey bleu-blanc-rouge, celui de la seule équipe francophone de la Ligue nationale de hockey[36] du temps du regretté Maurice Richard. Depuis la Révolution tranquille, point zéro d'une nouvelle identité, moderne celle-là, les « baby boomers » ont dû adopter le nom de Québécois pour prendre le relais de ceux que leurs parents nommaient les Canadiens, d'où la confusion des termes de l'identité selon la génération des habitants du Québec. Les idéologues de l'identité nationale du Québec voient généralement, dans ce passage d'une dénomination à l'autre, le

33. Nadia Khouri, *loc. cit.*, cite Marc Augé en page 281.
34. Nous faisons référence aux deux tomes de *L'histoire du Québec contemporain* publiés à Montréal, chez Boréal express, en 1989.
35. Le discoureur avait-il lu l'admirable ouvrage de Gervais Carpin, publié l'année du référendum ? *Histoire d'un mot. L'ethnonyme canadien de 1535 à 1691*, Sillery, Septentrion, 1995, 226 p.
36. Jusqu'en 1979.

partage, voire le dédoublement de l'identité, plutôt que d'y voir simplement la substitution de l'identité canadienne à une identité québécoise :

> *Il en résulte une double identité, une double loyauté qui fait de chaque Canadien français un agent double, au sens métaphorique, puisqu'il a deux patries : le Canada et le Québec* [...] *Ainsi, écartelé entre deux appartenances, le Canadien français érige l'ambiguïté en système de valeur et pousse la duplicité au sublime en en faisant le trait fondamental de son identité* (DM, p. 76)[37].

Les Canadiens de 1995 habitant le territoire de la province de Québec auraient eu un travail de dépouillement à faire pour retrouver leur fibre première, leur essence, celle du « naturel qui revient au galop » après avoir été trop longtemps enchaînée :

> *Et les autres Québécois, les anglophones, les allophones ? On les déteste ? Non, on attend tout simplement que la souveraineté soit chose faite et ensuite, la nature humaine étant ce qu'elle est, on découvrira enfin des Québécois là où aujourd'hui on ne trouve que des Canadiens, avec quelques exceptions proprement héroïques* (JP, p. 41).

Jacques Parizeau profite de cette allocution pour redorer le blason des Québécois de tradition catholique, davantage « bonne-ententistes » que rancuniers. Le Canadien résidant au Québec reçoit une espèce d'absolution, intentionnelle du moins, dans le discours de Parizeau, comme si ce dernier faisait le pari qu'il y avait un « bon fond » dans l'identité canadienne, comme si le Québécois potentiel était caché dans le Canadien.

L'identité participe-t-elle de l'identification ? On ne peut être qu'en se nommant : « l'essence ne précède pas l'existence », affirmaient les existentialistes. Le nom Canadien s'est d'abord déplacé sur le territoire, puis dans le temps. Spatiale d'abord, cette dé-nomination s'est poursuivie de l'intérieur, à mesure que grandissait l'idée de la révolution, tranquille d'abord, puis plus intense, autour du projet progressiste de la souveraineté : conservation de soi et liberté pour les individus qui composent la société moderne.

---

37. Denis Monière, *op. cit.*, p. 76 ; Jean Bouthillette a longuement analysé ce phénomène de « bicéphalisme » dans son essai *Le Canadien français et son double* (Montréal, L'Hexagone, 1972), livre dont nous avons mentionné en introduction la réédition stratégique en vue du référendum de 1995, dans la petite collection de Lanctôt.

« MAÎTRES CHEZ NOUS »

Bien sûr, pour prévenir les dissensions, le Camp du changement refuse de figer une identité univoque dans *un catalogue d'idées et de programmes qui nous gèlerait sur place.* Il propose toutefois d'utiliser l'identité du maître comme un tremplin vers une complète autonomie : *En devenant « maîtres chez nous » nous pourrons faire nos choix et les modifier, au gré de notre évolution et des occasions qui se présenteront* (CC, p. 18). Or, l'image du maître n'est pas naïve. Le maître possède la connaissance de soi : le maître sait qu'il l'est avant de se permettre de savoir ce qu'il veut. Il met au défi les « autres » qui le raillent dans la chanson populaire : « tu n'es pas maître dans ta maison quand nous y sommes ! ». Cette dialectique de l'esclave devenu maître, suggérée par plusieurs des textes étudiés, et principalement dans la fameuse formule « maîtres chez nous », nous apparaît ici fondamentale. Cette étape de la reconnaissance, décrite par Hegel et Kogeve, prend ici la teinte d'un certain romantisme heideggerien. Les efforts autonomistes du gouvernement Lesage (la nationalisation de l'électricité, par exemple), « l'égalité ou l'indépendance » de Johnson père et les nombreuses réformes du gouvernement Lévesque trouvent une suite dans la maîtrise nationale de l'identité. [Voter OUI] *c'est prendre une bouffée d'air frais, retrouver notre liberté de choisir. C'est se donner le pouvoir de décider de notre avenir et de devenir enfin « Maîtres chez nous ». Voter OUI, c'est se donner un nouveau départ* (CC, p. 84). L'affranchissement et le recouvrement de la liberté appartiennent en effet au registre de l'esclave en voie de devenir un citoyen. Nous pourrions donner cette affirmation comme preuve de la mutation du territorial vers l'identitaire, de la prise de pouvoir vers la prise de conscience, lieu effectif et symbolique où, dans le discours souverainiste, les valeurs québécoises sont des ressources naturelles inestimables mais reconnues comme telles.

Dans plusieurs de ses chroniques, Pierre Graveline exhorte les Québécois à user de leur capacité d'indignation, à dénoncer les rhéteurs et les profiteurs et à exercer leur sens critique. Il participe ainsi à la transformation symbolique de l'esclave en affranchi, puis en citoyen libre, maître et responsable de ses actions. Mais, pour le moment, tentons de rendre un tant soit peu les calembours que Jacques Limoges fait glisser facilement sous sa plume, pour transformer, en grand alchimiste de la langue, la portée des formules qui, traditionnellement, marquent le caractère « bonasse » des Québécois, en perles de culture québécoise.

Jacques Limoges agit en effet dans une autre sphère, celle du sens caché des mots, celle du sens des sons, mais dans le même esprit que ses collègues définisseurs de l'identité, il se sert d'un tremplin métaphorique pour arriver à ses fins de démonstration de l'identité cachée des Québécois. Jacques Limoges transforme ainsi le personnage historique, voire folklorique ou familial, du scieur de bois en *Sieur des bois ;* le porteur d'eau devient, moins poétiquement, le *Verseau ;* le beau parleur un peu menteur des soirées d'antan devient le *Bon parleur* des « gens de parole », et ainsi de suite... jusqu'à la *frog*-grenouille, identité-moquerie héritée des Américains à l'égard des Français, qui devient le symbole de l'humilité et de la fidélité des Québécois à leur patrie (JaL, p. 54). De même que Jacques Limoges fonde plusieurs de ses arguments sur des glissements sémiologiques, Pierre Graveline transforme la figure de l'âne, animal têtu et idiot s'il en est, en vecteur de la valeur de persévérance, liée au travail et à la responsabilité : *Puisqu'ils* [les fédéralistes] *prennent vraisemblablement le peuple québécois pour un âne, pourquoi celui-ci n'emprunterait-il pas à cet animal, par ailleurs charmant, son entêtement et sa persévérance légendaire dans la poursuite de son aspiration légitime à l'indépendance ?* (PG, p. 34).

L'effort de séduction est là très grand, puisque le chroniqueur appelle le peuple québécois à exploser dans une *ruade collective*, sur un ton qui distrait davantage qu'il ne persuade. Pourtant, son discours métaphorique offre une image typique de ce que les spécialistes de la rhétorique classique définissent par la qualification du langage. Dans ce cas précis, s'il est aimé, le Québécois sera persévérant ; s'il est méprisé, il sera têtu. En effet, la logique des passions, dont la rationalité n'est que rhétorique, explique ce zèle à récupérer l'image peu flatteuse de l'âne pour la réinvestir d'un sens positif. Ce travail de maîtrise tient dans la définition d'un « nous » fort mais flexible, qui appelle la cohésion en valorisant le consensus.

L'ABC DE L'IDENTITÉ QUÉBÉCOISE

Regardons maintenant notre premier tableau en reprenant les différentes définitions attribuées aux Québécois comme groupe et à la nation québécoise. Qu'est-ce que le « nous » ? Quel est le type de nation duquel les essayistes souverainistes participent ? Est-elle déjà là ? Est-elle plutôt à construire ? Ce tableau brosse un spectre très large des opinions exprimées au regard de l'idée de nation, de l'identité québécoise et des valeurs, prises comme éléments de définition par la différence.

Définitions de la nation
Territoriale
Équivaut à la citoyenneté
Par le vouloir-vivre collectif
Par un tronc commun de valeurs sociales et culturelles distinctes
Dans le cœur (organique)

Identité québécoise par le vecteur de la langue
Francophone
De souche française
Partagée avec les anglophones
Canadienne-française

Valeurs projetées des Québécois
Générosité
Honnêteté (avoir une parole)
Communication et ouverture

À ce point, il est capital de percevoir enfin, avec Régine Robin, l'impossibilité de la dissidence[38] dans le discours hégémonique de la nation. En effet, l'apparente fixité du discours nationaliste dresse les limites implicites et explicites des idées appartenant à l'ordre du pensable et du dicible au Québec, comme le remarque Fernand Dumont :

> [...] *il est plus difficile, plus périlleux peut-être, de se demander qui commande le nouveau spectacle idéologique. Les censeurs existent toujours, même s'ils ont changé de costume et si leur autorité se réclament d'autres justifications* [...] *Les clichés se sont renouvelés* [depuis Duplessis] *mais il ne fait pas bon, pas plus aujourd'hui qu'autrefois, de s'attaquer à certains lieux communs. Il est des questions dont il n'est pas convenable de parler ; il est des opinions qu'il est dangereux de contester* (FD, p. 25).

La construction d'une identité flexible concerne les différents niveaux de discours sur la nation. Il ne s'agit pas, pour les souverainistes, de faire

38. Régine Robin, *loc. cit.*, p. 193.

émerger une hydre nationale sur la défensive, qui aurait autant de têtes que d'individus engagés ; il s'agit plutôt de définir une identité, « pensée dans ses particularités culturelles, comme un effet, une forme secondaire, un résultat [une étape], l'essentiel se trouvant ailleurs[39] », par exemple dans la réalisation de la souveraineté du Québec.

> Des forces d'étrangeté et de familiarité s'exercent en tous sens, et malgré ce luxe foisonnant de détails et de signes, la nation, en tant qu'idée, a peu de stabilité. C'est un élément liquide ou gazeux épousant la forme de ce qui le contient ou le formule. Pas de solidité dans ce phénomène évanescent, paradoxe et question bien plus que réponse à quelque interrogation que ce soit. Le besoin de nommer est cependant suffisamment universel pour qu'on réduise ce flou en lui collant l'étiquette de nation[40].

La recherche d'une densité, d'un « accroissement à l'infinie cohésion[41] », à un rythme collectif, est invoquée par le besoin de changement, pour passer de la constitution transitoire d'un « nous » vers un « nous-autres », moins définitif et plus libre, car, comme le souligne Régine Robin, « il y a des crispations dans les discours qui vont à l'encontre des identifications multiples du réel. Il faut rappeler la fluidité des identifications culturelles, la complexité des appropriations personnelles[42]. » En ce sens, la collection des traits de caractère et des qualités attribués aux Québécois est faite de valeurs universelles retournées dans le « Québec-en-soi ».

> Dans la logique primitive de l'opposition [virtuelle] de chaque groupe aux autres [...] il y va [...] de la réassurance permanente de son insécable identité, mais encore de la certitude socialement incarnée, en quelque sorte, d'occuper le centre du monde[43].

Les traits québécois font figure de valeurs universelles, du moins le temps d'une étape, la plus importante selon Denis Monière, celle de l'accession à la souveraineté : *Lorsque l'identité québécoise deviendra l'identité d'une nation, elle sera ouverte aux apports extérieurs puisqu'elle ne reposera*

39. Jean-Jacques Guinchard, *loc. cit.*, p. 32.
40. Gil Delannoi, *loc. cit.*, p. 8.
41. L'expression est de Jean-Jacques Guinchard.
42. Régine Robin, *loc. cit.*, p. 200.
43. Marcel Gauchet, *Le désenchantement du monde. Une histoire politique de la religion*, Paris, Gallimard, 1985, p. 39.

plus sur l'origine ethnique, sur la langue ou la religion mais sur l'adhésion volontaire à la communauté politique québécoise (DM, p. 78). Aussi, la fixation d'un certain nombre de valeurs québécoises serait-elle un mal – voire un bien nécessaire – à la naissance effective d'une nation québécoise, laquelle, une fois constituée à partir de son noyau dur de francophones, pourrait tendre à s'ouvrir aux « autres ». C'est dans ce nouveau présent de la communauté, distinct de l'origine, que la société va se normaliser, sans toutefois prétendre, comme Denis Monière l'espère, à une radicale nouveauté[44] : *C'est en devenant une nation qu'on pourra se défaire complètement des réflexes tribaux* (DM, p. 79), écrit-il. On a ici une réponse intéressante aux rôles des comportements identitaires dans la constitution d'une nation, dans la définition de la nation, par l'angle des valeurs. C'est précisément dans un éventail de valeurs qui se partagent, qui s'imposent, ou qui sont universellement répandues que la rhétorique de la prédation va s'opérer.

44. Daniel Jacques, *op. cit.*, p. 98.

CHAPITRE QUATRIÈME

La rhétorique de la prédation : les « valeurs authentiques »

> Vous ne sauriez empêcher qu'ils vous engloutissent, faites au moins qu'ils ne puissent vous digérer.
>
> *Rousseau aux Polonais*[1]

À CETTE ÉTAPE de la réflexion souverainiste, le « nous » veut se constituer en soi, veut neutraliser sa part d'« autres », dans l'esprit de la prédation, ou, pour employer un terme de microbiologie, le « nous » fera de la phagocytose. En effet, ce que nous appelons rhétorique de la prédation est cette capacité de jouer sur les différences de façon à ce qu'elles s'évaporent dans un cadre plus grand, englobant :

> L'imaginaire démocratique amène à penser qu'il y a une primauté morale incontournable de la similitude sur la différence ; autrement dit, ce que les hommes ont en commun a plus de valeur, en définitive, que ce qui les distingue[2].

1. Cité par Jean-Jacques Guinchard, *loc. cit.*, p. 42.
2. Daniel Jacques, *op. cit.*, p. 108-109.

Transgression ! Autrement ! L'avenir appartient à celle et à celui qui savent assumer leur différence ou, comme le dit [sic] *si bien les auteurs de* La condition québécoise, *à celles et à ceux qui sont capables d'imaginer le nouveau* (JaL, p. 159). Or, le fait d'assumer la différence et de se définir comme tel est la conséquence d'un travail autrement fastidieux : celui de se distinguer des « autres ». Jacques Limoges tente d'intégrer des valeurs étrangères – mais fondatrices – à la constitution du « nous » québécois par le biais d'une contagion historique positive : *De la France il* [le peuple québécois] *a hérité une soif expansionniste et autonomiste ; l'Angleterre lui a légué un pragmatisme économique, et ses premiers rapports avec les futurs Etasuniens valideront son goût d'indépendance déjà semé par sa mère patrie* (JaL, p. 31). Il s'agit aussi pour les définisseurs de l'identité de se montrer critiques, d'établir les priorités et de revisiter le bagage commun au regard des trois entités qui circonscrivent et rendent possible l'énonciation d'un « nous-autres » : la France, l'Angleterre et les États-Unis ; *Nous n'avons pas de passé colonisateur et nous n'avons pas de visée de conquête, mais nous sommes prêts à participer aux efforts de paix* (CC, p. 8).

Cette démonstration fonctionne selon l'antimodèle et renverse vers le positif des arguments qui, dans un autre type de discours souverainiste, auraient pu faire émerger du ressentiment : « La nationalité est une création qui doit recevoir l'évidence de ce qui a toujours été. Elle doit devenir une authenticité à protéger par la ségrégation[3]. » Si l'on décroche du combat, quand le retrait est noble, on peut aussi suivre la logique du prédateur : convaincre, c'est vaincre. La différence est là, et les possibilités enserrent l'autre dans des tenailles. « Il faut donc comprendre la construction du principe de souveraineté comme construction volontaire d'un monde où les hommes sont souverains. C'est, en tout cas, ce qu'ils imaginent : maîtres de leurs pensées et de leur histoire[4]. »

On est ainsi passé de la différence déniée à la différence affirmée. Le peuple colonisé et conquis, baissant les armes devant l'ennemi, devient ici autochtone, retenu et pacifiste pour fonder un argument *a contrario* : *Notre nation est vieille et riche de quatre siècles d'histoire* (JL, p. 16). Le « nous » est-il né en 1608 là où le fleuve et certains horizons du discours tendent à

3. Jean-Jacques Guinchard, *loc. cit.*, p. 42.
4. Gérard Mairet, *op. cit.*, p. 41.

se rétrécir[5] ? Pourquoi le « nous » est-il appuyé sur une seule histoire, assurée et légitimée par une durée générationnelle ne concernant qu'une mince partie de la population actuelle du Québec ? Jacques Limoges tente un coup de patin socio-psychologique sur ce terrain glissant : *Si les Québécois sont inter par rapport aux autres, leur propre identité ne peut être essentiellement que le fruit de ces interactions, quelles qu'elles soient, dans le temps et dans l'espace, au passé, comme au présent, comme au futur* (JaL, p. 85).

DU « EUX-AUTRES » AU « NOUS-AUTRES »

Aussi, les souverainistes font-ils du « nous » un ensemble homogène bien assis sur un territoire clôturé : *Il y a quelque chose d'un peu absurde, en cette fin de siècle, dans le refus de nos voisins de reconnaître notre existence comme peuple* (JP, p. 133). La figure exemplaire d'Astérix le Gaulois et de ses compagnons nous semble recevoir beaucoup d'appui dans le développement du portrait typique du Québec comme un îlot francophone dans une mer anglophone, ou de celui d'un peuple rebelle dans un territoire nord-américain dominé par l'ennemi. Le sentiment national serait, selon nous, cette « potion magique » ; les néo-Québécois, n'ayant pas eu la chance de tomber dedans quand ils étaient petits, doivent se la faire administrer à la louche.

De qui parle-t-on dans ce discours sur les autres, discours de connivence, d'exclusion banlieusarde ? Parle-t-on des voisins géographiques sur le territoire canadien, des voisins d'en face à l'Assemblée nationale et à la Chambre des communes, par l'intermédiaire du Bloc québécois, qui fait partie intégrante du « nous » québécois souverainiste ? Parle-t-on des « autres » *ayant voté plus fortement de l'autre bord ?* (GB, p. 13)[6]. Cet autre, complexifié, devient, dans le discours souverainiste, un tout monovalent : Américains, Anglophones de tout le pays du Canada, fédéralistes, tous sont confondus dans cette appellation de voisins, quoique Denis Monière aiguise son angle d'approche des « autres », les réduisant, bien avant

5. Kebeck, en langue algonquienne, signifie, en effet, « là où le fleuve se rétrécit » ; entre Québec et Lévis, le fleuve a environ un kilomètre de large.

6. Parle-t-on, pour continuer avec Guy Bouthillier, des « Anglais », des « Anglo-Britanniques », des « Anglo-Canadiens », des « Canadiens-anglais », des « Anglophones », des « Anglos », des « Anglo-Québécois »...

Jacques Parizeau, aux citoyens de la Belle Province qui s'opposent à l'idée du Québec souverain : *Ces objections* [à l'indépendance du Québec] *sont le plus souvent formulées par les représentants du milieu des affaires, par les politiciens fédéralistes et par des citoyens qui veulent rester canadiens* (DM, p. 114).

Sans contredit, les Québécois ont besoin, pour se définir, de se situer par rapport à ceux qui ont présidé à leur constitution comme peuple, dans la composante historique de leur bagage commun : *L'Étasunien est l'****autre d'en bas****, l'Eurofrançais devient vite le* ***maudit français*** *et, dès que se forme le Canada confédéré, faisant aussi des British Americans des* ***Canadiens****, les descendants français se distinguent aussitôt en disant : « nous autres, Canadiens-français »* (Weinmann, cité par JaL, p. 25)[7].

Il semble que les critères de différence trouvent leur sens dans le vecteur méritoire du discours identitaire, non pas que le peuple québécois, si enclin au complexe d'infériorité, selon les textes étudiés, se soit soudainement rendu compte d'une supériorité certaine. Cependant, les valeurs d'humilité et d'ouverture vont faire de la figure du Québécois une icône profondément bonne, comme le montre de façon exemplaire Jacques Parizeau : *Les Anglo-Québécois ont construit non seulement le Canada mais une bonne partie du Québec et une bonne partie de Montréal. Ce ne sont pas des gens arrivés récemment. En tant que Québécois, ils sont nous. Nous sommes eux, dans l'évolution du Québec* (JP, p. 259-260). Ce renversement rhétorique du « eux-autres » vers le « eux-nous » nous permet d'affirmer, avec Nadia Khouri, qu'il existe, « pour chaque collectivité, la présomption d'une primauté de son mérite ou de priorité de son cas sur celui des autres[8] » ; la mémoire méritoire serait un moteur du parcours identitaire.

> *Bref, nous ne sommes ni des Français, ni des Anglais et ni des Américains. Nous sommes simplement Québécois. Et nous avons le droit d'être différents, d'être nous-mêmes. Être différents, agir à sa manière, ça ne veut pas dire que nous sommes plus ou moins « corrects » que nos voisins* (CC, p. 11).

Si « nous » sommes « autres », c'est-à-dire distincts, et que « nous » seuls pouvons discerner l'appartenance des « autres » à la communauté québé-

7. Les mots en caractères gras sont en italique dans le texte.
8. Nadia Khouri, *loc. cit.*, p. 253.

coise, c'est surtout parce que les réseaux de distinctions sont à la fois perpétuellement instables et toujours exclusifs, de sorte qu'ils n'ont de sens que dans une narration qui les corrige et les balise circonstanciellement, à l'avantage du groupe concerné : les Québécois de souche.

> *Si vous voulez, on va arrêter de parler des francophones du Québec, voulez-vous ? On va parler de nous. On a voté OUI à 60 %. C'est vrai qu'on a été battus, au fond, par quoi ? Par l'argent, puis par des votes ethniques, essentiellement.* [...] *L'indépendance du Québec reste le ciment entre nous. Nous voulons un pays et nous l'aurons !* (JP, p. 143-144).

Cette allocution, tristement célèbre, est, pour les nationalistes républicains[9], la fin de la nation ouverte. Pour d'autres, on pense à Guy Bouthillier, c'est l'affirmation de ce que bien des gens pensaient tout bas à l'annonce des résultats du référendum et la mise en valeur du courage de la figure-phare du souverainisme. La spéculation sur le nombre d'immigrants n'ayant pas voté OUI fut évidemment condamnée par l'ensemble de la gent politique du camp du OUI. Toutefois, en coulisses, une certaine hargne subsiste envers ceux qui, profitant de l'hospitalité légendaire des Québécois, mettent des bâtons dans les roues de ceux qui les accueillent. En effet, le discours souverainiste rebondit. Le message est compris et véhiculé par les médias en ciblant un groupe réduit de Québécois : le noyau francophone de Montréal victime de la fuite des capitaux vers Toronto.

LES VALEURS QUÉBÉCOISES

La valeur du courage recoupe celle de la persévérance, et encore plus ici, grâce à l'image du « ciment » employée plus haut par Jacques Parizeau,

9. Nous sommes donc portée à penser que Jacques Parizeau, au terme d'une campagne qui, sur le plan de la publicité visuelle du moins, penchait en faveur d'une définition à la française de la nation, se retrouve à réduire le projet autour de l'élément francophone du « nous-autres » : *Alors qu'en est-il du peuple québécois ? Il est constitué essentiellement de francophones (quelle que soit leur origine) qui partagent une culture qui leur est propre. Des minorités s'y ajoutent et ont incontestablement enrichi la culture québécoise. À part les autochtones qui forment des nations distinctes, Canadiens-anglais de souche ou immigrants de diverses dates* [qui] [...] *cherchent* [...] *à demeurer canadiens, une fois la souveraineté réalisée, ils devraient s'intégrer, et à leur rythme, au peuple québécois. En tout cas, on le souhaite. Est québécois qui veut l'être* (p. 157).

celles du travail du bâtisseur et de la solidarité. C'est ce dernier attribut de la communauté québécoise qui est appelé à se faire valoir dans tous les textes, au-delà des paroisses et des partis, au-delà des catastrophes naturelles, pour éviter « le pire » au Québec, soit confirmer, par un NON, son attachement au fédéralisme canadien. Car la solidarité et le travail de bâtisseur impliquent plus qu'un individu, au contraire du courage et de la persévérance qui honorent les héros solitaires, ceux-là mêmes qui pourraient faire émerger un dissensus : *L'unité d'action est une condition indispensable à la victoire. Qui ne le comprend pas et ne s'y inscrit pas dès aujourd'hui nous prépare des lendemains amers* (PG, p. 24), nous prévient Pierre Graveline. Quant à Andrée Ferretti, elle scande un slogan sans équivoque, qui n'est pas sans rappeler les dialogues engagés du *15 février 1839*, dernier film de Pierre Falardeau : *Qui ne fait pas l'indépendance la combat* (AF, p. 17).

Les idéologues de la souveraineté ont bien assimilé les propos de Machiavel ; celui-ci fut le premier à établir la liaison entre les idées de souveraineté et de nécessité. À son tour, Pierre Graveline découpe en étapes le projet de la « souveraineté nécessaire » puisque, selon lui, *L'heure est à l'union sacrée*. La première marche est pour lui *la solidarité entre les indépendantistes de toutes provenances et de toutes tendances* [elle est] *plus qu'une exigence, elle est un devoir* (PG, p. 24). La valeur de la solidarité permet l'expression imagée « se serrer les coudes » ; on peut en dégager l'idée du « bloc humain » responsable. Un bloc démocratique, chaleureux et transparent : [...] *la définition des peuples flexibles et prospères est faite sur mesure pour les Québécois. D'abord, peu de sociétés sont aussi solidaires que le Québec*. La solidarité fait aussi appel au sens de la fidélité, développé dans le temps : *Dans cette fidélité se révèlent la permanence et la profondeur de leur* [des Québécois] *adhésion aux valeurs de la démocratie* (JP, p. 93). L'entente tripartite du 12 juin 1995 entre le Bloc québécois, l'Action démocratique du Québec et le Parti québécois fait figure exemplaire de solidarité. Elle pose comme prémisse la volonté de donner au Québec une patrie, en mettant de côté les revendications partisanes. Les valeurs de la solidarité et de la démocratie vont ainsi curieusement de pair, puisque la solidarité espère le consensus, se conjuguant pour le groupe, tandis que la démocratie permet la diversité des opinions individuelles et porte en germe une désolidarisation. D'après Jacques Parizeau, il n'y aurait pourtant rien de construit dans le généreux mouvement d'être ensemble, du vouloir-vivre collectif :

c'est une entente naturelle parce qu'elle émane des aspirations du Québec (JP, p. 129). Comment un phénomène civique, voire national, soit une volonté populaire, peut-il être naturel ? Nous avons déjà précédemment accepté, avec Elie Kedourie, le fait que la nation est un construit, une donne historienne plutôt qu'historique. Aussi, à la suite du dernier extrait, nous interrogeons-nous sur l'argumentaire de Jacques Parizeau. D'une part, il y a un effort démocratique, récompensé et valorisé par les valeurs et les qualificatifs d'accueil, de générosité, d'hospitalité. D'autre part, les valeurs de la solidarité, de la parole et du travail vers le consensus (vers les conditions gagnantes, dira plus tard Lucien Bouchard) forment, pour ainsi dire, une barrière psychologique, sinon idéologique, qui peut très bien stratégiquement fonctionner par la rhétorique de la prédation, lorsque, pour prendre une image, la barrière recule, avance ou gagne du terrain. Il n'y a rien de « naturel » à penser la nation québécoise selon la rhétorique de la séduction. Toutefois, si l'on s'attarde un instant à l'image que fait naître l'intitulé « rhétorique de la prédation », on peut dire, avec Parizeau, que c'est une stratégie de survie, que c'est alors une activité intellectuelle mais aussi naturelle, puisque *nécessaire*.

UNE NATION POUR LE PQ ?

Le rapport intellectuel à l'idée de la nation du Québec ressemble étrangement à celui que les Québécois entretiennent avec l'idée de Dieu. En effet, les relations ambiguës que les Québécois entretiennent avec l'Église et Dieu peuvent se comparer à leurs relations avec le Parti québécois et avec l'idée de nation. On peut concevoir Dieu comme une construction imaginaire, mais on ne peut nier l'influence de cette croyance sur une population qui se polarise pour ou contre l'Église, entendue comme la maison de la réalisation humaine du projet divin. Du reste, si l'on n'adhère pas aux dogmes de l'Église, peut-on agir, consciemment ou non, selon ses valeurs. Le parallèle se trace clairement dans les pratiques démocratiques : on peut croire à l'idée de nation québécoise sans voter pour le PQ. Jacques Parizeau insiste sur ce fait : en 1984, le PQ et le PLQ ont travaillé main dans la main pour faire disparaître de la Chambre les députés de Pierre Trudeau qui avaient approuvé le rapatriement unilatéral de la Constitution (1982) : *C'était là une première esquisse de rassemblement entre Québécois, au-delà des partis* (JP, p. 124). La lucide entreprise de

Lucien Bouchard, alors chef du Bloc québécois aux Communes d'Ottawa, qui consistait en la réunion des partisans politiques de l'idée de souveraineté en effaçant volontairement les frontières des partis politiques (signature du 12 juin 1995), vint imprimer l'image d'une « Église unie ». *Ce qui pourrait arriver de pire,* souligne Jacques Parizeau, *c'est qu'elle* [l'entente du 12 juin] *soit transformée en icône... L'objectif est la souveraineté, pas le partenariat* (JP, p. 48).

Nous sommes d'avis, avec Fernand Dumont, que la réaction des intellectuels s'arrête trop souvent à cet état superficiel (quoique actif dans ses manifestations nationalistes) de l'idée de nation, sans questionner, comme le fait habilement Elie Kedourie, l'existence de la nation comme entité, qu'elle soit *créée* ou *organique*. La volonté de créer un consensus à tout prix, qui est un des « démons » que combat Josée Legault, est une figure de la franchise démocratique pour Jacques Parizeau, qui lie, on l'a vu, la démocratie à la valeur de solidarité :

> *Au bout du compte, la démocratie, c'est ça : la volonté individuelle de participer à l'effort collectif ; l'addition des espoirs et des efforts ; la conviction que la prise de parole a un sens ; Que d'audiences en réunions, de rapport régional en rapport synthèse, l'apport de chacun, si modeste soit-il, a un impact sur l'avenir collectif* (JP, p. 104).

Cette démocratie aurait avantage à être mieux orientée, souligne Pierre Graveline. N'est-ce pas là le désir de retrouver le Québec d'antan, celui qui suivait le chef ? L'auteur insiste : *les leaders démocratiques* [devraient porter] *haut, fort et clair ses aspirations nationales* [celles du Québec] *de sorte que la population s'y rallie massivement et ne se laisse pas distraire par des manœuvres dilatoires* (PG, p. 25). Pour rallier les Québécois, Jacques Limoges, dans son style naturaliste inimitable, propose aux Québécois francophones de retourner le quolibet qui leur est donné par les anglophones et de lui faire servir une de leurs valeurs « authentiques » : la fidélité envers ses engagements et l'attachement au pays. Au moyen du symbole de la grenouille (« frog »), l'auteur insiste : *La grenouille a la réputation de toujours revenir à son étang,* [c'est une] *sorte de fidélité géo-identitaire.* Avec le plus grand sérieux, Jacques Limoges affirme que la devise du Québec correspond à ce mouvement inné de la grenouille : *Se souvenir – revenir en arrière comme dans Se remémorer* (JaL, p. 64). Il s'agirait donc, pour les Québécois, d'apprendre à embrasser la grenouille, puisque, comme celle des contes de fée, elle permettrait à celle qui découvre le prince en elle de devenir souveraine du territoire de son père ! La grenouille-prince confond les standards de la rationalité et du pouvoir et garde en potentialité une beauté indescriptible.

Cette valorisation du type « petit donc grand[10] » apparaît nécessaire, puisque la principale difficulté des Québécois, selon les Jacques Parizeau, Guy Bouthillier et Josée Legault, est de se tenir debout dans l'affirmation de leur différence, car les Québécois auraient la mauvaise tendance à se conformer aux volontés non explicites de l'« autre proche » comme de l'« autre éloigné » ; *On le voit dans la rue, où il n'est pas rare d'entendre un francophone s'adresser en anglais à quiconque ne semble pas d'ici* (GB, p. 59) ; *Pour arriver à bon port* [la souveraineté] *il nous manque peut-être encore cette capacité d'assumer en toute sérénité et en toute fierté nos désaccords et nos luttes* (JL, p. 26)[11]. S'ils ont du mal à assumer leur différence, les Québécois doivent surtout être, selon Jacques Parizeau, fidèles à leur communauté d'attache, au présent et pour l'avenir, en faisant [...] *attention de ne pas se faire mal à soi-même, de ne pas nuire à sa cause et de ne pas faire perdre espoir à ceux dont dépend l'avenir* (JP, p. 160).

Par ailleurs, les Québécois semblent plutôt tolérants, créatifs et ouverts selon les tableaux brossés par les auteurs qui nous intéressent : *Résistance du faible au fort, respect du droit, refus de la violence. Défense de ses valeurs dans le respect de celles des autres, refus des rapports inégaux entre les collectivités, recherche d'un dialogue d'égal à égal entre les cultures : tel est le portrait du Québécois* (GB, p. 225). Cette définition convient en effet aux Québécois qui, à la suite de l'échec de l'Accord du lac Meech, se sont mis à demander, avec Bourassa, une négociation de « un à un », c'est-à-dire « plus jamais de négociation à 11[12] ». Un autre regard, celui du *Cœur à l'ouvrage*, cherche plutôt à tendre un miroir flatteur aux Québécois. Cette brochure a en effet pour vocation de convaincre les indécis de voter OUI afin qu'ils

10. Marc Angenot conçoit cette expression comme la base de l'idéologie du ressentiment que la morale chrétienne défend comme le retour, l'équilibre normal des choses : les premiers seront les derniers...
11. En effet, le T-shirt le plus commercialisé dans la capitale autour de la fête nationale arbore l'effigie d'une grenouille et une devise indépendantiste : « Gren**OUI**lle et fière de l'être ! »
12. Négociations qui impliquent le gouvernement fédéral et chacun des gouvernements des dix provinces canadiennes.

acceptent d'entreprendre l'ouvrage du partenariat économique avec le reste du Canada. Le ton est assuré, prometteur, les valeurs encore non traditionnelles sont projetées : *Les Québécois accueilleront ces propositions avec l'esprit ouvert et constructif qui les caractérise* (CC, p. 60).

Le travail, le même qui, selon Voltaire, évitait « le vice, le besoin et l'ennui » à celui qui cultivait son jardin (ou ses quelques arpents de neige), est une valeur fondamentale des Québécois selon tous les textes étudiés. Le Camp du changement convie les Québécois à faire vibrer leur corde sensible du travail et les convie à un grand effort collectif :

> *Pendant quelques années, le Québec sera un grand chantier. Mais ce sera notre chantier, œuvrant sur des plans et devis que nous aurons déterminés et au rythme que nous fixerons. Si nous ne voulons pas subir le changement imposé par d'autres, si nous voulons conduire les changements à notre manière, il n'en tient qu'à nous* (CC, p. 14).

Outre la « nationalisation » du chantier, la générosité, l'hospitalité et la joie de vivre combinées au travail sont des valeurs qui permettent au Camp du changement de transformer en slogan une valeur commune, nécessaire pour faire passer l'idée de construction nationale dans l'expression « notre chantier », nécessaire pour transformer le travail, entendu d'abord comme une corvée mal rétribuée, en travail perçu comme la garantie de propriété et de fierté : *Un Québec qui nous ressemble, qui a donc le cœur à l'ouvrage* (CC, p. 84). Que le travail soit bénévole ou rémunéré, c'est l'esprit du travail qui compte : *Le* ***cœur****, parce que nous avons le sens de l'entraide, la volonté de veiller au bien-être de nos familles, de nos communautés, du peuple québécois tout entier* (CC, p. 19). La valeur du travail n'a de prix qu'aux yeux de ceux qui la considèrent comme telle. *Si les corvées* [communautaires] *font appel aux talents,* renchérit Jacques Limoges, *les coopératives concrétisent les valeurs républicaines* (JaL, p. 150). Pour le Camp du changement, le travail est la colonne vertébrale du Québécois, il est à la fois sa fierté et sa raison de vivre : *Nous voulons favoriser l'accès au marché du travail, donc à la dignité, du plus grand nombre de Québécoises et de Québécois* (CC, p. 19). Au travail bien fait correspond le travail valorisant. Or, tous les textes soulignent l'inscription dans le temps de ces valeurs, qui se résument dans celle de fidélité. À preuve, mentionnons que les Québécois de la Révolution tranquille ont agi selon ces valeurs. Ils ont voulu se doter d'un système d'éducation qui servirait le talent plutôt que l'argent, pour donner aux Québécois de toutes les classes sociales la possibilité d'obtenir, grâce à l'éducation, un emploi dans les professions estimées.

Jacques Limoges perçoit dans l'agir collectif des Québécois des mécanismes d'autoflagellation et d'internalisation du rôle du persécuteur : *Plutôt que d'être excellent deuxième ou bon troisième, le Québécois préférerait être le dernier* (JaL, p. 82). Faibles de leur passé de colonisés, les Québécois auraient la fâcheuse tendance à fléchir devant ceux qui affichent une confiance en leurs propres moyens. Contrebalançant le pivot de l'argumentaire du ressentiment, par lequel les petits travailleurs entretiennent une rancœur envers les patrons, Jacques Parizeau refuse le pragmatisme d'un Jacques Limoges et propose une revalorisation du Québécois dans ses acquis du passé proche : [...] *l'incompétence des Québécois est un vestige du passé. Dans ce sens, lorsque René Lévesque dit et répète si souvent que le Québécois n'est pas « né pour un petit pain », il touche une corde sensible*[13], *il va en un certain sens au fond des choses* (JP, p. 78).

L'argument du travail comme valeur fondamentale permet la consolidation d'un fait acquis et la projection d'une réalisation à venir. Le travail, comme la responsabilité et la solidarité, est une valeur de la permanence. Celle-ci permet de refondre le projet de société à venir dans un déjà-là, un déjà-expérimenté. En effet, pour être davantage explicites et pour montrer la persistance de ces valeurs, les auteurs auraient pu faire précéder chaque qualificatif-superlatif énonciateur d'une valeur de l'adverbe *encore : Les Québécois veulent faire du Québec une société* [encore] *plus solidaire,* [encore] *plus responsable,* [encore] *plus efficace,* [encore] *plus équitable et* [encore] *plus humaine* [...]. *C'est-à-dire une société qui a le cœur à l'ouvrage* (CC, p. 18-19). Cette assertion ne peut être considérée comme un argument valable que si elle se comprend comme un argument de succession : les Québécois ont toujours été travaillants, donc ils le seront aussi dans l'avenir.

13. Jacques Bouchard, auteur des *36 cordes sensibles des Québécois*, dégageait de la « racine française » le manque de sens pratique, tandis qu'il observait dans la « racine terrienne » la « finasserie » et « l'habileté manuelle », ce qui pourrait selon ses conclusions expliquer le repli des Québécois sur des emplois de bricoleurs mal rémunérés.

La métaphore du cœur à l'ouvrage permet aussi de voir la fonction de permanence au centre de l'identité québécoise : tant qu'il y a de la vie, tant que le cœur bat, on peut travailler ; « notre » dignité en dépend. Le courage, la lucidité, l'esprit de liberté et de démocratie, la responsabilité et la solidarité apparaissent à Pierre Graveline comme étant des valeurs qui sous-tendent toutes les actions et les réflexions des Québécois. Le besoin et le respect des structures sont aussi, selon Jacques Limoges, des éléments essentiels à la culture québécoise, besoin se manifestant jadis par un rassemblement homogène et serré autour d'un seul et unique leader.

Les valeurs de tolérance, d'égalité, de pacifisme et d'ouverture sur le monde apparaissent aussi au tableau identitaire brossé par le Camp du changement : *Nous allons démontrer qu'on est capable encore, à défaut d'un pays, de monter une société française qui a le cœur à l'ouvrage et le cœur accroché à la bonne place jusqu'à ce que, enfin, on prenne notre revanche et qu'on se donne un pays à nous* (JP, p. 145). De l'esprit de groupe, rassemblé dans des valeurs collectives, sont aussi dégagés des traits individuels, ceux de l'archétype québécois que Jacques Bouchard nomme « Jos Tremblay », un héros fondu qui se contredit souvent : « Il est en cela fidèle à lui-même[14]. » Contredisant la fameuse racine « latine » des Québécois, qui, selon Jacques Bouchard, fonderait la caricature du Québécois « grand parleur, petit faiseur[15] », nous retrouvons unilatéralement dans les textes étudiés les valeurs du travail et de la jovialité inscrites au registre « nordique » des Québécois. Jacques Limoges en vient même à suggérer, à propos du Père Noël : *Quel beau symbole pour la Québécoise ou le Québécois en quête de modèle identitaire !* (JaL, p. 89)...

La joie de vivre, selon un sondage Léger & Léger, est perçue comme très importante par 91 % des Québécois. Cette nature de « bon vivant » tant dans nos relations personnelles que professionnelles font l'envie de bien des Canadiens-anglais. Cette créativité et cette « joie de vivre » font de nous un peuple émotif, chaleureux et ouvert (CC, p. 8). Communes aux peuples du Nord, l'hospitalité et la bonne humeur identifient les Québécois à une nordicité chaleureuse. *Selon divers sondages, les visiteurs soulignent majoritairement la simplicité, la spontanéité, la chaleur, la générosité et la transparence des Québé-*

14. Jacques Bouchard, voir le préambule de l'ouvrage déjà cité.
15. S'opposant aussi à la réflexion philosophique de Max Weber quant à la consciencieuse ardeur au travail des Britanniques, par opposition au goût de la fête des types latins.

coises et des Québécois ainsi que leur propension à faire la fête (JaL, p. 57). Or, la réclusion dans le froid légendaire du Québec, si l'on s'abstient de mentionner les épisodes de la colonie québécoise de la Floride, engage la définition du Québécois sur les voies de la débrouillardise, du « gros bon sens », de l'épargne, du sacrifice pour le bien commun et de la créativité[16]. *Notre créativité s'exprime également dans notre côté « patenteux » et débrouillard* [...] *Nous voulons une société qui sait compter, qui peut se serrer la ceinture au besoin, mais qui, toujours, a du cœur* (CC, p. 8-10). Si le froid est maintenant combattu par des constructions de type bungalow ou autres, il demeure que les tempêtes, le verglas et les inondations viennent encourager la solidarité et les commémorations de ces mouvements bénévoles spontanés. La communauté des solidaires s'autocongratule, puis les médias, principaux miroirs attendus de l'actualité sociale, renvoient les valeurs authentiques au moyen de reportages spéciaux, de portraits de héros : télé, télé, dis-moi, qui a été le plus valeureux aujourd'hui...

Quant aux images du terroir et de la colonie française, elles restent tout à fait dominantes dans le paysage identitaire, les qualités reconnues aux Québécois semblant, plus souvent qu'autrement, des épisodes ultérieurs à l'époque des Québécois de souche :

> *Je ne vous rappellerai qu'en passant la volonté, l'ardeur, la foi et le courage qu'il aura fallu à ces descendants de la France, puis aux Québécois de toutes origines qui ont pris le français pour langue et culture, pour s'arrimer à l'Amérique du Nord sans rien perdre de leur amour-propre et de leur fidélité à eux-mêmes* (JP, p. 307).

LE QUÉBEC PAR TOUS LES TEMPS

Si l'époque des coureurs des bois et bel et bien révolue, celle des bûcherons continue, de pair avec celle des constructeurs de la souveraineté québécoise... Aussi, la constante interpellation des saisons pour marquer les mouvements de solidarité autour de l'idée d'indépendance trouve-t-elle, chez un Jacques Parizeau inspiré par les Félix Leclerc et Gilles Vigneault, un *automne de la réflexion* et un *automne de la moisson*. Au *Québec frileux*, il

16. Comment ne pas mentionner la partie du programme du parti Rhinocéros qui, dans les années 1975, proposait un échange du Nord du Québec contre la Floride six mois par année ?

instaure un *hiver de la parole* et déclare un *printemps de la souveraineté*, expression qui n'est pas sans rappeler l'idée du printemps des peuples[17].

C'est l'idée de justice sociale qui permet aux discours souverainistes de dénoncer et d'identifier ceux qui font entrave au droit dit naturel des peuples de se donner un État qui correspond à la nation. Ainsi, en réponse à un Pierre-Elliot Trudeau qui discourt sur l'éventuelle déportation des Anglophones, en inférant que ceux-ci pourraient être expulsés d'un Québec souverain, Parizeau vocifère : *Et qui a amené ce gouvernement* [canadien] *à renoncer à son projet* [déportation des Haïtiens en situation irrégulière] ? *Les Québécois de souche et le parti québécois d'abord et avant tout* (JP, p. 247).

Le cheval de bataille des croisés de la cause indépendantiste n'est pas un cheval de Troie, bien au contraire, il se présente rempli de bonnes intentions. Le nouveau projet de société, portant la bannière identitaire en signe de vaillance au combat, amène des éléments socialisants, en vantant au passage les Québécois qui ont instauré, dans ce qui n'est encore qu'une province, la Charte des droits et des services enviables d'assurance-maladie et de bien-être social :

> *L'important, c'est de les condamner* [manifestations de discrimination], *de dire qu'il ne faut pas* [y participer], *de garder cette capacité d'indignation* [...] *Parce que, au fond, nous rêvons tous de voir, de pouvoir construire une société de citoyens libres, une société où les citoyens décident de ce qui leur arrivera, mais plus que cela encore, une société fraternelle* (JP, p. 248).

Quoique ces frères québécois donnent parfois l'impression d'être des frères ennemis, cela ne les empêche pas d'être de bonne famille. En outre, chaque velléitaire, chaque rebelle mérite de porter en germe le sarment de l'enfant prodigue. Si certains sont condamnés, ce n'est que circonstanciellement, car il y a un degré de doute excusable dans l'incertitude affichée par une grande partie de la population québécoise au regard des capacités du Québec de faire la souveraineté :

17. Si Jacques Parizeau est, dans l'opinion populaire, « loin du peuple », c'est peut-être qu'il a renié l'héritage de ses ancêtres agriculteurs : *Le printemps* [de la souveraineté] *parce que, déjà, nous commençons à cueillir les fruits de notre action des derniers mois* écrit-il en page 107. Dieu sait qu'en hiver il ne pousse pas grand-chose au Québec ; la métaphore dessine plutôt un fruit qui n'est pas mûr.

Les Québécois du OUI *et du* NON *ont beaucoup discuté, avec passion et conviction, mais dans la civilité. Il est arrivé que certains perdent leur bonne humeur, mais jamais leur sang-froid. Nous sommes une des plus vieilles démocraties au monde* [...] *nous pouvions débattre sans nous déchirer,* [...] *nous contredire sans nous blesser. Cette capacité, cette grande maturité que nous avons, elle nous sera précieuse pour les lendemains du vote* [...] (JP, p. 142).

Josée Legault, présupposant que le « vrai Québécois » souhaite la souveraineté démocratique, abonde dans ce sens en indiquant clairement que les valeurs nécessaires à tout « vrai Québécois » et à tout gouvernement québécois se déclinent sur les thèmes du courage et de l'endurance. Cette grande marathonienne de la cause souverainiste souhaite que les effets de ces qualités valeureuses se conjuguent enfin dans une indépendance affirmée, pour la croissance de l'idéal de liberté, idéal gagné sans obligation de soutenir la ligne droite d'un parti politique : *L'heure n'est ni à la démagogie ni à une récupération douteuse d'une situation difficile. L'heure est à la responsabilité* (JL, p. 44).

Le sens du devoir et des responsabilités envers le peuple instituerait la confiance, voire la foi, dans le progrès de la cause, malgré les menaces du gouvernement canadien quant à la faisabilité du projet indépendantiste ; [...] *il reste encore quelques éléments progressistes dans le gouvernement Parizeau. Des éléments prêts à montrer de quelle humanité et de quelle solidarité un Québec souverain serait capable en cas de crise internationale* (JL, p. 38). Josée Legault, comme plusieurs indépendantistes de notre corpus, aime citer Charles de Gaulle. Celui-ci disait, à propos du sens du devoir : [Le devoir] *interdit l'hésitation, la fausse prudence, les lâches ménagements* (de Gaulle, cité par JL, p. 28).

Résumons la position de l'aile orthodoxe des souverainistes, dont Jacques Parizeau se fait le porte-parole lorsqu'il tire ses conclusions du référendum de 1995 : *Donc, la majorité des Québécois francophones veulent que le Québec devienne un pays. Ils ont choisi leur identité et leur pays. Quant aux Québécois autres que francophones (17 % de la population), presque tous ont voté* NON (JP, p. 156). Le cas de la fibre française comme élément de composition du tissus québécois est justement incertain et filandreux[18].

18. « Aurait-on, une fois de plus, craint d'affirmer l'existence de la nation québécoise et de son caractère français ? », Josée Legault, *op. cit.*, p. 55.

D'une part, l'héritage de la langue française fonde un grand pan de la distinction québécoise au regard des anglophones du Québec (les « autres » dans le « nous ») et au regard des « autres » de langue anglaise (à l'extérieur du « nous ») : Anglais, Américains et Canadiens anglais. D'autre part, la transformation de la langue héritée de la France est aussi un facteur de distinction. Le « nous » français est antérieur, il est devenu « autre ». L'expression du mépris des Québécois pour les Français, et surtout pour leur attitude langagière, remet sur le métier l'ouvrage de la distinction. L'exemple suivant, qui a trait au pronom qui nous intéresse, en fait état :

> Il n'y a pas dans ce « nous autres » ce petit air satisfait, de propriétaire sûr de soi, qui se retrouve dans la formule « quant à nous ». Et si le trouble révélé par cette locution était la marque d'une modestie fort sage ? [...]. La sagesse populaire rejoint peut-être l'intuition de Rimbaud : « Je est un autre »[19].

La remarque défensive du « petit air satisfait », c'est l'inférence première et rapide d'une présupposition voulant que tout ce qui est français dans la manière soit pédant jusque dans son sens littéral. En ce qui a trait à l'aphorisme de Rimbaud, le discours populaire ne va pas jusqu'à faire l'analogie du groupe par l'utilisation du verbe être à la troisième personne dans « nous sont autres », mais, au contraire, la formule demeure dans une définition interne et défensive : « nous sommes autres ».

Gil Delannoi explique ainsi cette fonction de rejet du discours sur l'« autre » : même s'il « nous » ressemble, l'« autre » est perçu comme un étranger, parce que la non-cohabitation territoriale et culturelle confirme la différence : unicité et incompatibilité. En effet, « Une référence négative à l'autre, à l'étranger, équilibre et consolide cette auto-référence communautaire[20] ». Aussi, le caractère bon enfant, la bonne volonté des Québécois, ce qualificatif « bon comme du bon pain » (même petit), légitime-t-il le cœur du « nous-autres », aux sens métaphorique et littéral du terme :

> *Même si les Canadiens refusent de reconnaître notre existence et notre identité* [...]. *Nous n'entretenons aucune animosité envers les Canadiens. Nous voudrions même*

19. Paul-Marcel Lemaire, *op. cit.*, p. 133.
20. Gil Delannoi, « La nation entre la société et le rêve », *Communications*, n° 45, Paris, Seuil, 1987, p. 9.

garder un lien politique nouveau et permanent, avec nos voisins, pour bien gérer les intérêts que nous avons en commun (CC, p. 59).

Il n'est donc pas question pour le Camp du changement de se battre pour une reconnaissance effective. En revanche, le calme serein de la connivence et la souveraineté des démarches « bonne-ententistes » agissent en douce persuasion, en nourrissant affectivement une cohésion séductrice ou idéologique. Il s'agit pour les souverainistes d'éviter de prendre les armes idéologiques sur le terrain périphérique et de réussir à masquer le différend avec les « autres » sur la bande du « nous ».

NOUS-AUTRES, ON EST QUI ?

Proclamer l'identité au nom du groupe demande, on l'a vu, un double effort de réunion et d'exclusion. Dans le cas du Québec, le pronom d'usage « nous-autres » infirme cette double fonction. Toutefois, c'est sur la tribune d'un tiers exclu que se gonflent davantage les primats de l'identité :

> La nation est un grand groupe, territorialement mobile et verticalement intégré, qui manifeste une citoyenneté commune, un sentiment commun, aussi bien qu'une ou plusieurs caractéristiques qui différencient ses membres de ceux d'autres groupes avec qui ils sont alliés ou en conflit[21].

Or, la persuasion par la séduction et la prédation rhétoriques trouve dans les réactions des gouvernements français et américain – et de la Cour suprême du Canada, comme on l'a vu en septembre 1998 – des indices de la qualité de la définition québécoise : « Si l'on cherche à convaincre quelqu'un, c'est moins l'opposant qu'un tiers qui est juge, juge du bon droit, de la légitimité, de la différence[22]. »

Les sondages populaires ont ceci de particulier au Québec : ils informent de la tendance dominante tout en contribuant à la rendre permanente. En effet, les lecteurs de *L'Actualité* ou des quotidiens sont à l'affût des changements identitaires perceptibles au sein du groupe « nous ». Toutefois, c'est dans une lecture de ce « nous » depuis l'extérieur que le

21. Chris Southcott, *loc. cit.*, p. 58.
22. Michel Meyer, *op. cit.*, p. 125.

lecteur, n'ayant pas participé auxdits sondages, se retrouve en position hypothétique de choix. Ainsi que l'affirme Michel Meyer, « ce jeu d'identité et de différence est purement symbolique, rhétorique. Peu importe le contenu puisqu'en fin de compte, le vrai problème est d'affirmer, de retrouver l'identité[23]. » Pour Parizeau, voter OUI, c'est non seulement un geste d'affirmation officielle, mais un acte de naissance symbolique du « nous » adulte et responsable à la face du monde ; l'équivalent, dans la chrétienté, d'une confirmation baptismale :

> [voter pour la souveraineté sera l'un] *des gestes les plus importants de sa vie. Il s'agit de dire ce que nous voulons être à nos yeux, aux yeux de nos enfants, et à la face du monde.* [...] *Décider, surtout, de ne plus être une minorité dans le pays de nos voisins anglophones, mais une majorité dans notre propre pays. Affirmer une fois pour toutes notre langue et notre culture francophone d'Amérique. Bref, être enfin nous-mêmes, tout simplement* (JP, p. 133).

Aussi, la stratégie des définisseurs de l'identité consiste-t-elle à faire en sorte que les Québécois deviennent circonstanciellement « autres », afin que l'adhésion au groupe se fasse au moyen de la formule de connivence « nous-autres ». Quel danger y a-t-il en effet à se définir comme distincts, si nous ne faisons pas partie nous-mêmes des groupes exclus, mais que nous « nous » reconnaissons dans le groupe de ceux qui excluent, même passivement, voire pacifiquement[24] ?

> *La Constitution du Canada de 1982 nie notre existence comme peuple. Il n'y a pas de peuple québécois dont la langue est le français, dont la culture est francophone, et nord-américaine ; qui a ses caractéristiques propres ; qui respecte ses minorités, mais néanmoins existe comme peuple. On veut être un peuple* [...].
> [...] *la seule façon que nous ayons d'être un peuple, c'est d'avoir un pays à nous* (JP, p. 135 et 146).

Il semble que cette fureur de vivre s'exprime à bout de souffle, dans l'urgence. Comme si le référendum de 1995 était véritablement la *dernière chance d'exister comme peuple* (JP, p. 136). Peut-on dire, toutefois, que le peuple québécois existe, en s'appuyant sur le fait que la mentalité québécoise se reconnaît, s'affirme, même à l'étranger, où elle fait l'objet d'éloges,

23. *Ibid.*, p. 127.
24. Ce questionnement final est directement emprunté à Michel Meyer, *op. cit.*, p. 128-129.

de caricatures, ou des deux ? Prenons, avec Pierre Rosanvallon, le temps de lire le peuple québécois comme un construit, de l'intérieur ou de l'extérieur, pouvant être mobilisé pour un projet ou contenu comme une cible : « Le peuple ne préexiste pas au fait de l'invoquer et de le rechercher. Il est à construire. Cette contradiction est en son fond au cœur de la politique moderne[25]. » Les définisseurs de l'identité, agissant de l'étranger ou sur le territoire du Québec, auront compris l'idée de Benjamin Constant sur la liberté politique et se mettront au défi de construire ce peuple québécois, au moyen d'un ciment identitaire exploité dans toutes les communautés de cœur (églises, familles, écoles) : les valeurs communes : « [...] les habitants trouvent du plaisir à tout ce qui leur donne l'apparence, même trompeuse, d'être constitués en corps de nation, et réunis par des liens particuliers[26]. »

Notre questionnement ne visait pas à distinguer l'existence propre de l'existence fantasmée, mais à retrouver les critères d'identité québécoise qui passent, à travers tous les textes étudiés, sous l'appellation de valeurs communes, que nous rassemblons ici en tableau.

VALEURS COMMUNES AUX QUÉBÉCOIS

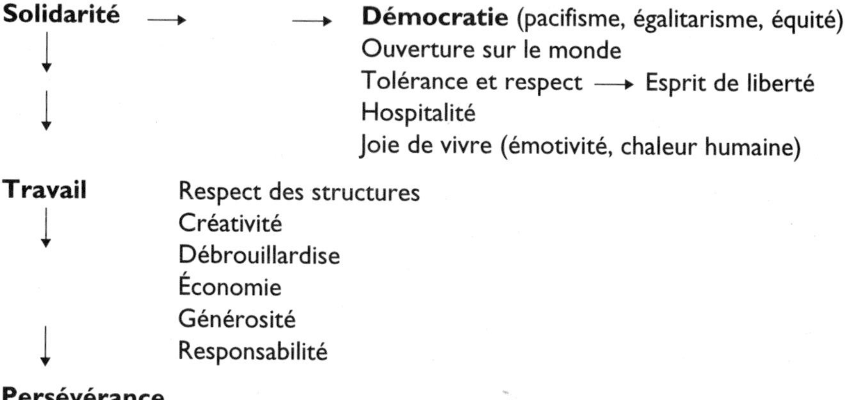

25. Pierre Rosanvallon, *Le peuple introuvable. Histoire de la représentation démocratique en France*, Paris, Gallimard, 1998, p. 18.
26. Benjamin Constant (*Écrits politiques*, Hachette, 1980) est cité par Daniel Jacques, *op. cit.*, p. 84.

Plusieurs de ces qualités attribuées en partage aux Québécois peuvent être regroupées par thèmes. Chacun de ces thèmes peut à son tour devenir une valeur rassembleuse, une valeur première, qui non seulement accepte des corollaires mais parfois les oblige. On peut dans certains cas parler plus précisément de réseau de valeurs, réseau qui s'énonce difficilement sans faire naître autour de lui un univers de sens. Notons que ces univers de sens sont la base des présupposés nécessaires à l'élaboration d'une grammaire souverainiste. En effet, quand on structure un langage, fût-il poétique ou rhétorique, il convient de s'entendre sur la signification des mots, sur les métaphores qu'ils suggèrent et, particulièrement dans le cas qui nous intéresse, il s'agit de tracer des liens entre les différents éléments du discours pour que celui-ci soit non seulement un ensemble de belles paroles, mais soit porteur d'un message identitaire : de ce que « nous » sommes déjà et, davantage, de ce que cette nature (cette identité) permet au « nous » de devenir. En d'autres mots, il s'agit de faire voir la potentialité de la souveraineté au moyen des valeurs dites authentiquement québécoises.

Nous pourrions d'abord distinguer deux grands groupes de valeurs, les valeurs individuelles et les valeurs collectives, en considérant au passage les intersections de ces deux ensembles. Cependant, le groupe de valeurs dominant est sans aucun doute celui qui concerne la société québécoise tout entière, puisque la souveraineté s'articule autour des notions de communauté et de peuple. C'est pourquoi nous allons examiner ce « tronc commun de valeurs » comme tel. Il semble toutefois efficace, dans la rhétorique de la séduction comme dans celle de la prédation, de réduire la communauté de communication québécoise à un réseau plus petit, par exemple à un groupe dont on connaît tous les membres. L'image de la famille conviendra alors à la majorité des exemples exploités par le discours souverainiste sur l'identité québécoise.

Dans cet esprit, il nous semble à propos de situer la valeur de la solidarité dans le même champ sémantique que la valeur du travail, puisqu'elles agissent toutes deux pour le bien commun. En effet, rares sont les travaux qui n'impliquent qu'un individu, soit pour sa réalisation (travail d'équipe, recherche, construction, élaboration sont toutes des étapes d'un projet à plus grande échelle), soit pour tirer profit des bénéfices générés par ces travaux (un bâti, un salaire, un revenu, une récompense qui assure la subsistance d'un groupe). La valeur du travail renvoie à son tour à la débrouillardise et à la créativité. Dans les résultats du travail, on a non seulement l'idée du partage et de la générosité, mais le respect des structures, la responsabilité et la capacité d'économie.

Or, la solidarité, valeur première de cette chaîne paradigmatique, appelle aussi à sa suite la valeur démocratique. Celle-ci est liée, dans le discours souverainiste, au pacifisme, à l'égalitarisme, à l'équité et, enfin, au respect des autres. Aussi, l'ouverture sur le monde fait figure, nous semble-t-il, de valeur de transition pour qui souhaite radiographier le discours souverainiste dans le tableau des valeurs dites « authentiques ». On peut en effet saisir cette valeur et la projeter sur des études comparatives ; l'ouverture sur le monde serait, en ce sens, un meilleur moyen de se regarder en face. D'autre part, elle peut facilement être récupérée par les défenseurs du fédéralisme canadien. C'est pour parer cette éventualité rhétorique que le reste du monde, dans la grammaire souverainiste, comprend aussi le Canada, et que les Canadiens, dans cette logique, sont, au même titre que les Américains, « nos voisins ». Ainsi, il n'est pas surprenant de voir se greffer à cette dernière valeur le binôme ambivalent « tolérance et respect ». Celui-ci évoque le respect des résultats démocratiques (ceux du référendum envisagé), mais défend bien, pour le groupe, la tolérance. Tolérer, on le sait, n'est pas respecter. Le premier verbe contient une résistance, une sorte d'ignorance forcée dépourvue d'affection. Le second signifie une plus grande ouverture aux autres puisque, pour respecter quelque chose ou quelqu'un, on doit connaître davantage les limites et les contours de l'objet du respect. Aussi nous semble-t-il qu'un pont difficile est lancé du côté de la liberté d'esprit, alors que sur le même paradigme s'enchaînent l'hospitalité, la joie de vivre, la chaleur humaine et l'émotivité des Québécois.

Faut-il comprendre, dans l'argumentaire souverainiste, les valeurs que sont la liberté d'esprit, le courage et la persévérance, l'attachement et la fidélité au pays comme des valeurs communes, valeurs qui fonderaient le groupe et ne s'exerceraient que par lui ? En effet, sur le plan individuel, ces valeurs pourraient contenir d'autres avenues que celle de la souveraineté du Québec.

CHAPITRE CINQUIÈME

Le panthéon québécois

LES FIGURES d'admiration et de dénigrement, à l'égard du projet collectif québécois, ne posent que peu de difficultés de lisibilité dans les textes de notre corpus. En effet, les auteurs ne se permettent pas de mentionner des personnages dont le caractère serait ambigu ou équivoque : « La mémoire d'une nation abrite tout un peuple semi-imaginaire de figures positives et négatives : car la distribution du spectacle oppose les héros et les traîtres[1]. » À la lumière du concept de médiation, développé par René Girard, il nous sera possible de circonscrire le rôle des personnages publics, non pas par le jugement de leurs actions réelles, mais bien par la médiation qu'entretiennent les idéologues de l'identité québécoise avec les figures « bonnes » ou « mauvaises » de leur panthéon.

René Lévesque, personnage-phare du projet de l'indépendance québécoise, chapeaute l'Olympe québécois et y confirme les valeurs de fidélité et de permanence : *René Lévesque a donné aux Québécois un goût du pays, une fierté d'être qui ne s'estomperont plus jamais* (JP, p. 345). Jacques Parizeau a compris, au cours de ses nombreux séjours à Paris, que la meilleure façon de convaincre l'opinion internationale (reprenons : dans les termes des théoriciens de l'identité, le tiers exclu) de la légitimité du projet de la

1. Jean-Jacques Guinchard, *loc. cit.*, p. 18.

souveraineté du Québec est de le faire entériner par l'ancienne mère patrie, principale coordonnatrice de la francophonie. Or, le recours à des figures emblématiques communes est ardu ; comment citer Louis XIV ou Montcalm sans faire de coup d'éclat ?

En revanche, l'épisode du balcon de l'hôtel de ville de Montréal semble tout indiqué pour réunir les accents français sans faire d'anicroche : *Pour nous guider dans ce voyage* [vers la souveraineté], *nous avons la bonne fortune d'être accompagnés par deux des figures les plus marquantes de votre pays et du mien. Ils nous ont quittés, mais on ne pourra jamais dire d'eux qu'ils sont disparus. Je veux parler bien sûr du général de Gaulle et de René Lévesque* (JP, p. 343). L'allocution célèbre du général de Gaulle fut, dans les mots de René Lévesque, un « accroc prophétique qui retentit tout autour du monde ». Jacques Parizeau, en communion de pensée avec celui qu'il considère comme son prédécesseur, conclut : *Il en aura fallu du temps pour tirer de la phrase du général de Gaulle les bases de la responsabilité de la nation. Mais ce temps-là n'a pas été perdu. Le pays du Québec est maintenant tout proche* (JP, p. 343).

La médiation externe, enseigne René Girard, s'observe dans le désir attribué à l'autre. L'autre, le personnage, tiendrait lieu de médiateur du désir. Même si le médiateur est imaginaire, imaginé comme tel, dans une position extrême de bonté ou de perversité, la médiation qu'entretiennent les idéologues avec le personnage est toujours bien réelle, comme le sont ses effets[2]. Pour cerner la périphérie des « autres », dans laquelle il va épingler ses ennemis, Jacques Parizeau s'éloigne des Canadiens, ceux-là mêmes qui étaient venus démontrer leur attachement au Québec dans une manifestation surnommée le « Love-in »[3] :

> *Eux ont défini leur pays. Nous sommes en train d'en définir un autre. Cela ne nous rend pas moins démocrates pour autant* [...]. *Cela nous rend différents. Évidemment que nous sommes attaqués. Évidemment qu'on nous dénonce parce qu'on comprend*

2. René Girard, *Mensonges romantiques et vérités romanesques*, Paris, Grasset, 1973, p. 20-21.
3. Quelques jours avant la tenue du référendum sur la souveraineté du Québec, des masses de Canadiens de partout au Canada, bénéficiant de tarifs substantiellement réduits par des compagnies de transport (aériennes et routières), sont venus dire leur attachement aux Québécois dans la ville de Montréal, tenant leur manifestation d'amour à la place du Canada (angle des rues Peel et René-Lévesque).

très bien au Canada que nous cherchons autre chose, que nous cherchons un pays, et les Canadiens ne vont pas accepter cela facilement (JP, p. 246).

Les rivaux sont identifiés à la fois comme modèles : *Eux ont défini leur pays*, et comme adversaires : *Évidemment que nous sommes attaqués*. Le rapport aux Canadiens est d'autant plus complexifié dans cet extrait que, comme l'écrit René Girard : « L'obstacle passif que constitue la possession n'apparaît pas comme un geste de mépris calculé, cet obstacle ne provoquerait pas le désarroi si le rival n'était pas secrètement vénéré[4]. » Abondant dans le même sens, Josée Legault attaque (indirectement) les anglophones du Québec, par le biais de la dénonciation de Howard Galganov, *lequel n'a été qu'un révélateur des positions réelles d'une majorité d'Anglo-Québécois* (JL, p. 27). Confinant les traits négatifs des Anglo-Québécois dans la figure synecdotique du défenseur alarmiste des droits des minorités qui, selon Howard Galganov, sont en péril au Québec, Josée Legault établit un modèle de médiation interne. L'autre, dans son discours, est parmi nous. Cette médiation interne rend surtout problématique la crise mimétique des acteurs : c'est parce qu'ils sont semblables qu'ils se retrouvent sur le même terrain rhétorique de la définition de l'identité québécoise... D'autres diraient qu'ils partagent la même niche écologique... Et voilà que s'enclenche la résolution tranquille, la réconciliation avec l'ennemi intérieur, afin que la considération pour l'ennemi devienne de l'estime pour un adversaire digne de l'être.

Néanmoins, pour plusieurs qui refusent ce travail-au-travers, que les freudiens appellent perlaboration (*Durcharbeiten*), la présence insidieuse de l'« autre » devient un obstacle à la réalisation de l'objectif de la majorité francophone. Par exemple, les Mordecai Richler et les « cité-libristes », Pierre-Elliot Trudeau en tête, apparaissent méprisables à Josée Legault parce qu'ils ne se contentent pas de graviter autour du noyau francophone en balisant un extérieur hostile au projet d'indépendance du Québec :

> La particularité de ce nouvel ennemi [ennemi intérieur] est qu'il n'habite pas un pays étranger, aucune frontière ne le sépare de ses concitoyens : tout au contraire, il occupe un même espace politique, cousin, voisin ou autre. [...] Il peut surgir en tout lieu et se blottir sous les visages les plus familiers[5].

4. René Girard, *op. cit.*, p. 27.
5. Daniel Jacques, *op. cit.*, p. 90-91.

En effet, les figures « mauvaises » identifiées par Josée Legault sont des personnages publics qui travaillent contre le projet souverainiste en s'immisçant dans sa chasse gardée : la littérature universitaire et populaire. Même son de cloche chez Parizeau : *Je n'ai pas apprécié plus que la plupart des gens le dernier texte de Mordecai Richler, pour ne citer qu'un exemple. Je ne peux pas vous dire que je trouve très drôle de voir, dans une certaine presse anglophone, les allusions malfaisantes qui y sont publiées de temps à autre* (JP, p. 246).

Les figures emblématiques de la traîtrise au Québec, modelées par le documentaire-référence de Pierre Falardeau *Le Temps des Bouffons*, imposent à Josée Legault des remarques de l'ordre de ce que nous pourrions appeler la désobéissance identitaire. La distinction québécoise fonde ici l'appel de la traîtrise ; Nadia Khouri précise : « Chacun a, au nom de cette distinction, trouvé, découvert ou inventé son ennemi mythique[6]. » Josée Legault souligne, avec un mépris lisible, l'anecdote suivante : au cours d'une soirée au Beaver Club, Roger D. Landry, président-éditeur de *La Presse, prononce son nom à l'anglaise : Rodger Lainedri* (JL, p. 52). Cette preuve auditive du désavœu de l'appartenance au Québec francophone, de la part d'un des pontes de la production textuelle en français, est insupportable à Josée Legault, d'autant plus que la médisance sur le Québec est déjà manifeste dans la presse non francophone : *La presse anglophone du Québec et du Canada répand partout en Amérique du Nord que le nouveau gouvernement québécois, c'est le « Cuba du Nord ». Et Cuba, c'est la peste. À la fois socialiste et séparatiste, le Québec constitue une menace pour les capitalistes, les vrais démocrates et les anglophones* (JP, p. 31)[7]. Même les autorités américaines, de connivence avec les Anglo-Saxons du reste du continent, refusent de reconnaître la légitimité relative du projet de l'indépendance québécoise et, de surcroît, nient, selon un Jacques Parizeau ironique et mordant, l'existence d'une communauté distincte du reste du Canada : [les autorités américaines] *repoussent toute idée d'un gouvernement du Québec, qu'il soit fédéraliste, souverainiste ou végétarien. Il nous est interdit d'avoir une délégation à Washington, tout au plus tolère-t-on un bureau de tourisme* (JP, p. 287).

6. Nadia Khouri, *loc. cit.*, p. 276.
7. Jacques Parizeau, *op. cit.*, p. 161 : [Je suis celui-là même que] ***The Financial Post***, *a voulu à maintes reprises faire emprisonner pour trahison. Un tricheur, un menteur, un raciste, un xénophobe. Quelqu'un qui, pour couronner le tout, a eu le malheur de perdre la bataille qu'il a livrée pour avoir son pays.*

En suivant cette perspective, nous rapprochons cette dernière allusion de l'enjeu que représente, pour l'effondrement de la fierté québécoise, la prise de parole d'un énonciateur en vue, d'un être hors norme comme Roger D. Landry, dont l'exceptionnelle position contribuerait de façon encore plus importante au mépris de l'identité québécoise : « Le caractère sacré, non seulement du discours mais de la personne qui énonce l'identité [...] [le discours sur l'identité] s'est toujours imposé par quelqu'un qui a aussi le pouvoir de la fonder [l'identité][8]. » Nous retrouvons ici un argument difficile à défendre : les deux têtes d'affiche se disputeraient non pas la bannière identitaire, mais le pouvoir de dire l'identité. Devant cette lignée admirable des René Lévesque, Gaston Miron, Lucien Bouchard et Lise Bissonnette, « les traîtres pèchent contre la simplicité, l'authenticité constitutives de la nationalité[9] ». Ceux-ci sont la cible des définisseurs de l'identité. Non seulement ils font partie d'un tiers exclu, mais ils font aussi figure de repoussoirs, de contre-exemples. Mentionnons Brian Mulroney, que Pierre Graveline surnomme *Brian-la-menace*, les *prudents peureux*, avec Robert Bourassa en tête, Gil Rémillard, *le fou du roi maudit*, Pierre-Elliot Trudeau et Jean Chrétien, les *cyniques arrogants* (PG, p. 37), qui *s'emploient à nier l'existence du peuple québécois* (GB, p. 221), dont ils sont eux-mêmes issus.

Méprisables, selon les chroniqueurs politiques du quotidien montréalais *Le Devoir*, les éditorialistes de *The Gazette* et du *Mirror* de même que les journalistes montréalais Benoît Dutrisac et Lysiane Gagnon le sont parce qu'ils soutiennent les traîtres[10]. Les forces du NON *sont actuellement engagées dans un effort féroce pour aggraver la faille ethnique* (GB, p. 16), écrit Guy Bouthillier. En effet, en mélangeant les cartes de la citoyenneté canadienne et de l'appartenance sensible au Québec, le camp du NON, dont la conception de la nation appartient globalement au qualificatif civique, manifesterait, selon Bouthillier, *un refus aveugle et* [une] *répulsion instantanée* (GB, p. 192) de l'identité québécoise. D'autres figures politiques contemporaines s'illustrent aussi, de façon symptomatique, dans la quasi-totalité des textes étudiés[11] : Joe Clark, pour sa condamnation

8. Michel Meyer, *op. cit.*, p. 130.
9. Jean-Jacques Guinchard, *loc. cit.*, p. 18.
10. Références en page 149 et 119 de l'essai de Guy Bouthillier.
11. Nous faisons ici référence aux ouvrages concordants dans l'étiquetage des « ennemis » de la cause souverainiste : ceux de Pierre Graveline, Josée Legault, Andrée Ferretti et Jacques Parizeau.

immédiate de la loi 101, Peter Blaikie, pour avoir été l'instigateur du recours judiciaire contre la même loi 101, Mike Harcourt, premier ministre de la Colombie-Britannique de l'époque, pour ses menaces quant à l'éventuel partenariat du Canada avec un Québec souverain : *Nous serons vos pires ennemis. Et vous allez souffrir, et pas seulement économiquement* (Harcourt, cité par GB, p. 102).

Les agents moteurs du dénigrement de l'identité francophone des Québécois sont les détracteurs de la loi 101, dirigés, selon l'analyse de Josée Legault, par la mémoire sélective dictée par les politiciens fédéraux ou les leaders anglo-québécois. L'auteure suggère d'entretenir la critique du système fédéral afin de poser clairement le « consensus » francophone et de faire taire les avatars du « méchant numéro un » Pierre-Elliot Trudeau. Celui-ci, nous rappelle Josée Legault, soutenait un grave paradoxe au regard des positions souverainistes : le lien entre l'affirmation nationale et la lutte contre la francisation du Québec[12].

Josée Legault, en identifiant le démon du glissement vers la droite politique, pointe aussi du doigt ses « anges noirs » : les milieux d'affaires (montréalais). Ceux-ci insulteraient le droit des peuples à l'autodétermination par le biais de leur *catéchisme mercantiliste* (JL, p. 20). Une nouvelle social-démocratie basée sur le respect de l'opinion publique assurerait, affirme l'auteure, une dilution de l'influence des grands centres financiers sur le projet identitaire québécois. Celui-ci, soutenu par la voix de leaders québécois forts, fonceurs, moraux et visionnaires, pourrait rétablir la confiance des Québécois envers leur société. Suivant le panorama de la réception négative de l'idée d'indépendance, Josée Legault dit observer le dénigrement du projet souverainiste surtout lorsque l'option souverainiste monte en force. Le discrédit de l'option souverainiste se manifesterait par l'« injuste » attribution au sentiment national d'être à la fois une force de déstabilisation, une source d'intolérance et une manifestation de racisme. Les agents conceptuels moteurs du dénigrement du projet indépendantiste sont ainsi identifiés par Josée Legault ; la propagande fédéraliste et anglo-québécoise utiliserait trois menaces : la fragilité de la langue française, la « chimère » partitionniste et les « règles » réfé-

12. Josée Legault, *op. cit.*, p. 18 et 19.

rendaires[13]. La propagande du NON aurait aussi dessiné, selon Jacques Parizeau, le contour des visages de ces « démons » :

> *Je pense que la principale contribution que la campagne du NON a faite à la campagne du OUI a été de montrer le vrai visage des chefs fédéralistes. Montrer leur arrogance, leur agressivité, leur volonté d'en finir, une fois pour toutes, avec le caractère rebelle des Québécois. Ils l'ont montré dans ce mot, utilisé par M. Garcia et par M. Chrétien : « écraser »* (JP, p. 152).

De même, le gouvernement fédéral, en favorisant l'accroissement de l'importance des tribunaux, serait responsable de l'infiltration du démon insidieux de l'érosion de la démocratie parlementaire : d'abord parce que les juges y sont nommés, ensuite parce qu'on recourt à ces derniers de plus en plus fréquemment pour des questions politiques. Josée Legault, en identifiant des coupables – tous les mêmes – des malheurs de la société québécoise, développe, nous l'avons vu, un système de paraphrases explicatives pour soutenir ses accusations. Ainsi, les semeurs de bisbille, soit les négociateurs de « compromis », sont-ils immanquablement des trompeurs ou des manipulateurs, c'est selon. Josée Legault transpose aussi le malaise généralisé devant l'obsession du consensus dans un problème de société qui consiste à craindre de ne jamais arriver à un compromis : [cette crainte est] *inutile et inhibante d'autant plus que nous avons la chance d'appartenir à une société qui reste profondément civilisée et pacifique* (JL, p. 26). Si la société québécoise fait le grand ménage du printemps de la souveraineté, c'est peut-être, selon le théoricien Gil Delannoi, parce que le ciment de cette appartenance nationale doit être constamment renouvelé, d'où l'existence « extra-sportive, épique et laïque, d'un panthéon infini[14] ». La civilité, dont Josée Legault s'avoue la ferme défenseure, a ceci de capital : elle s'appuie sur une civilisation moderne qui tient la nation comme la forme parfaite de son accomplissement. Or, s'il y a civilisation, suit en corollaire un défilé de valeureux légionnaires, qui portent en eux les valeurs de cette société. « La nation, écrit Jean-Jacques Guinchard, n'est pas une réalité

13. *Ibid.*, p. 21 ; ces règles référendaires sont entendues comme des règles imposées faisant barrage à l'autodétermination, qui se passerait de règles, puisqu'elle serait légitime pour le peuple du Québec, selon le droit des peuples à l'autodétermination.

14. La formule est de Gil Delannoi, *loc. cit.*

concrète et observable, c'est une idée, comme la liberté et le bonheur sont des idées, ce n'est qu'une représentation banale et confuse[15]. »

L'histoire canadienne offre toutefois – et c'est l'avantage de ce « recours collectif » des souverainistes dans ce bassin d'arguments d'autorité écrits d'avance – des figures historiques positivement connotées en ce qui a trait à l'idée de l'indépendance du Québec. Dans le passé canadien que survole Guy Bouthillier, plusieurs personnages des livres d'histoire arborent une connotation des plus négatives. D'abord, le célèbre inventeur du paratonnerre voit la foudre lui tomber dessus. Guy Bouthillier envoie au bûcher symbolique Benjamin Franklin, conseiller de Londres, qui avait obtenu pour l'Angleterre la colonie du Canada (plutôt que la Guadeloupe) avec cet argument : « en moins de cinquante ans, l'immigration dissoudra la population canadienne-française ». Guy Bouthillier fait le ménage dans le panthéon canadien, dont il exclut Jonathan Sewell, juge en chef du Bas-Canada, le grief retenu contre lui étant sa déclaration de 1810 : « Il faut noyer la population canadienne-française. » Lord Durham et ses recommandations de 1839 trouvent évidemment une place de choix dans l'argumentation de l'auteur, qui cite avec dégoût la *Canadian Encyclopedia :* « He was preeminent among the founders of the modern Commonwealth[16]. »

Dans son rapport à l'histoire de la communauté québécoise, Jacques Parizeau se dit héritier de Papineau, grand chef patriote exilé aux États-Unis après les événements de 1837-1838, puis revenu servir sa patrie, le Bas-Canada :

15. Jean-Jacques Guinchard, *loc. cit.*, p. 28 ; il écrit aussi que la nation est un « point de ralliement intersubjectif » (p. 26).

16. Guy Bouthillier tient aussi responsables de la querelle ethnique intestine du Québec ceux qui ont présidé aux deux grandes vagues d'immigration. De la période 1896-1914, il retient les Anglo-Canadiens de l'Ouest pour les accuser de préférences ethniques : Clifford Sifton, père du multiculturalisme canadien, aurait soutenu une hostilité envers les immigrants d'autres « races » que britanniques ; sont aussi du nombre Frank Oliver, Robert Rogers et William Roche. Le duc de Connaught, gouverneur général du Canada, mérite aussi une flèche, car il a réclamé une « immigration exclusivement britannique pour combattre la natalité canadienne-française » (p. 24) par son « Empire Settlement Act » de 1922. De même, William Chamberlain et son slogan « Immigrants at any price from anywhere » de 1925 est la cible du ressentiment souverainiste porté par Bouthillier. Dans la contemporanéité de son argumentation, l'auteur incrimine « Statistiques Canada » qu'il accuse de représenter faussement l'origine ethnique et la courbe démographique de la population canadienne. De la seconde vague d'immigration, celle de l'après-1945, il épingle les Canadiens anglais Walter Harris et John Pickersgill (Libéraux), Davie Fulton et Ellen Fairclough (Conservateurs).

> *Une voix que Louis-Joseph Papineau a fait entendre ici. Élu et réélu au début du siècle dernier par une vaste coalition de Québécois, francophones et anglophones, il tenta de créer ici un État moderne, autonome, respectueux des minorités et ouvert sur le monde, y compris sur le monde britannique. En réclamant le gouvernement responsable pour la colonie québécoise, il voulait ce que l'on appelle aujourd'hui la souveraineté* (JP, p. 118).

À travers l'idée de rassemblement, que Jacques Parizeau adopte à la veille du référendum, le premier ministre de l'époque tente aussi de redéfinir les Canadiens français dans des termes auxquels les francophones du Québec pourront se référer. Nous aurons remarqué que Jacques Parizeau fait fi de l'histoire du mot « canadien » et accole le nom de Québécois aux francophones et aux anglophones habitant le Bas-Canada. Outre l'erreur de terminologie en ce qui a trait à l'histoire des définitions de l'identité par le territoire, il appelle le Bas-Canada *colonie québécoise*, ce qui n'a aucune place dans l'historiographie, toute québécoise qu'elle soit. De plus, l'ancien premier ministre du Québec crée artificiellement une adéquation entre la demande du gouvernement responsable effectuée par Papineau – pure transposition dans la colonie du Canada d'une invention britannique – et la souveraineté du Québec. Heureusement pour Jacques Parizeau, sa connaissance de l'histoire du Québec prend du mieux au tournant du siècle, ce qui lui permet de citer Antoine-Aimé Dorion, le fondateur de l'ancêtre du parti des Libéraux d'aujourd'hui, qui était opposé, comme lui-même d'ailleurs, à la fédération canadienne :

> *Il* [Antoine-Aimé Dorion] *ne croyait pas qu'elle* [la fédération canadienne] *permettrait la reconnaissance du peuple québécois, ni l'égalité. Dorion voulait que le Québec garde, je le cite, son « indépendance propre », et suggérait de « donner les plus grands pouvoirs aux gouvernements locaux (comme celui du Québec), et seulement une autorité déléguée au gouvernement général (du Canada).* [...] *Une idée qui allait resurgir, encore et encore, au sein du Parti libéral. Une idée que nous appelons le partenariat* (JP, p. 119).

De même, Jacques Parizeau croit recevoir directement l'appel de Daniel Johnson père, chef de l'Union nationale, lequel invitait *les représentants mandatés des deux nations* [à] *se réunir et* [à] *chercher ensemble, librement, sur un pied de parfaite égalité une nouvelle institution politique pour remplacer le pacte de 1867.* [...] *On croirait entendre Louis-Joseph Papineau, on croirait entendre les Libéraux de 1867, on croirait lire l'entente du 12 juin 1995* (JP, p. 121).

Honoré Mercier et Henri Bourassa, Jean Lesage, Daniel Johnson père, Jean-Jacques Bertrand et tous les autres, y compris le René Lévesque du « beau risque », sont ceux qui méritent l'estime de Jacques Parizeau : *Je tiens à saluer leur entêtement et leur farouche détermination* (JP, p. 121). À l'aube du référendum sur la souveraineté, Jacques Parizeau, de concert avec le Camp du changement, dont il est le chef avoué, tient à distinguer les Canadiens de bonne volonté des autres, cités plus haut. *Le cœur à l'ouvrage* prévient ainsi les éventuels mauvais perdants après la victoire du OUI : *Dans cet esprit* [liberté, démocratie, respect, sérénité] *et dès le soir de la victoire, les chefs du OUI tendront la main aux Québécoises et aux Québécois de toutes tendances politiques qui auront contribué à la campagne du NON* (CC, p. 16). Aussi, les fédéralistes québécois, Claude Ryan et Daniel Johnson notamment, qui ont refusé le rapatriement unilatéral de la Constitution de 1982, contre la décision de Trudeau et de Chrétien, trouvent de l'honneur à s'être démarqués : *Il se trouve des héros dans plusieurs des communautés qui dans l'ensemble ont voté NON. Et ils manifestent souvent un dévouement remarquable à l'égard du pays qu'ils ont choisi* (JP, p. 163). Aussi, le premier ministre canadien Lester B. Pearson a-t-il été le premier et le seul à dire, en 1964, ce que Parizeau aurait aimé entendre à la Conférence de Charlottetown : *Bien que le Québec soit une province faisant partie de la Confédération nationale, il est plus qu'une province, en ce sens qu'il est la patrie d'un peuple : il constitue très nettement une nation dans une nation* (JP, p. 121). De même, dans le Québec contemporain, des figures importantes du camp du NON, dont Guy Saint-Pierre, trouvent du crédit dans *Le cœur à l'ouvrage*, dans un texte qui *lève son chapeau* à la solidarité québécoise. C'est l'affirmation suivante du président de SNC-Lavalin qui fait la différence entre les fédéralistes « récupérables » dans le projet souverainiste et les autres : [si les Québécois disaient OUI] *je donnerais le meilleur de moi-même pour contribuer au succès du Québec* (CC, p. 15). La position de Ghislain Dufour, président du Conseil du patronat, reçoit un mérite semblable grâce à cette supposition : *si la population du Québec dit OUI, on va essayer de travailler au mieux avec le Canada à négocier à l'avantage du Québec les meilleures ententes, c'est évident* (CC, p. 15).

Voici enfin l'une des trames communes aux textes étudiés. Les personnages publics, issus de la politique active québécoise et canadienne, sont autant de figures exemplaires (ou contre-exemplaires) des valeurs de la nation québécoise. Nous remarquons, avec Gil Delannoi, que la théorie et les programmes politiques ne peuvent restituer à eux seuls l'image entière de la nation. Il faut y accoler « une mythologie qui relève de la croyance quasi-religieuse et des habitudes et des goûts esthétiques[17] ». Suivant la définition de l'*Encyclopédie Universalis*, la nation a deux principales fonctions. D'abord, la fonction d'intégration, qui procure au groupe la cohésion spirituelle. Le groupe résiste alors à l'effet corrosif des rivalités d'intérêts. D'autre part, par sa fonction disciplinaire, la nation sacralise le pouvoir, fait de sa force une autorité[18]. Si la discipline québécoise veut s'abstenir de donner au projet de la souveraineté une ligne de parti qui forcerait l'intégration, l'autorité suprême de la nation québécoise concerne la permanence. Celle-ci permet à la nation de s'enraciner et de faire des bourgeons dans le récit historique, depuis toujours bien daté, et dans les années à venir.

À cette étape de notre analyse, nous sommes en mesure d'identifier quatre des cinq catégories paradigmatiques qui fondent la grammaire de l'argumentaire souverainiste : la définition de la nation, l'identité québécoise, les valeurs authentiques et les personnages publics. Nous avons recensé, pour ces vecteurs, des composantes qui font la règle du « Bon usage », d'autres qui se situent en marge du discours. Sans les distinguer pour le moment, il s'agit des composantes territoriale, communautaire-civique, organique et culturelle de la définition de la nation québécoise. En ce qui concerne l'identité québécoise, nous avons retenu les attributs suivants : francophone, de souche française, partagée avec les anglophones et canadienne-française. Les valeurs authentiques québécoises recoupent, dans notre corpus d'analyse, celles de solidarité, de travail, de démocratie et d'ouverture. Les personnages publics sont catégorisés selon leur valeur morale, sur le plan de l'intention. Nous aurons eu, pour les distinguer, les épithètes suivants : bons, méchants, traîtres et de bonne foi.

17. Gil Delannoi, *loc. cit.*, Avant-propos.
18. Georges Burdeau, « Nation », *Encyclopédie Universalis*, vol. 16, p. 5.

TROISIÈME PARTIE

Le Mémorable est la forme la plus familière à l'époque moderne : du moment qu'on a saisi l'univers comme une collection ou comme un système de réalités effectives, le Mémorable est le moyen de fractionner cet univers indifférencié, d'y faire des différences, de le rendre concret.

Alain Jolles
Formes simples

L'HISTOIRE, PATRIMOINE IMMATÉRIEL

CHAPITRE SIXIÈME

La ligne du temps mémorielle

> L'oubli et je dirais même, l'erreur historique sont un facteur essentiel de la formation d'une nation et c'est ainsi que le progrès des études historiques est souvent pour les nationalistes un danger.
>
> *Ernest Renan*

LA DÉFINITION que donne Ernest Renan de la nation fournit un appui solide à qui conçoit et argumente la nation à l'aune de l'aboutissement et du destin de la nation québécoise. Aussi, le discours souverainiste assure-t-il ses arrières, comme si le projet de l'indépendance consistait en un exploit d'escalade. La Révolution tranquille aura permis aux premiers de cordée Fernand Dumont et Pierre Vadeboncœur de voir en grand angle le sommet à atteindre, et à Jacques Parizeau d'exprimer les aspirations québécoises au nom du groupe :

> *Il faut parfois nous remémorer les bases mêmes de nos aspirations* [...] *Une société qui reconnaîtrait finalement qu'elle est, dans son immense majorité, de culture française, d'héritage français et d'avenir français* (JP, p. 242).
>
> *Il est vrai que les Québécois, majoritairement francophones sur leur territoire, ont réussi à aménager la survivance et le progrès de leur langue et de leur culture, souvent de haute lutte, en exploitant en particulier les ressources du régime parlementaire qui*

leur a donné accès, il y a deux cents ans, à la parole politique. Mais ils n'en sont plus au stade de la survivance, depuis surtout le mouvement amorcé il y a trente ans par la révolution tranquille (JP, p. 290).

Le premier plateau des années soixante tente de fournir *a posteriori* une réponse à la question de Jacques Parizeau : *Par où passe le chemin qui mènera au nouveau et inévitable rendez-vous avec la souveraineté ?* Les alpinistes de la souveraineté cherchent à exprimer leur escalade par les images de la route, du chemin et du parcours. En effet, si le sentier s'aplanit dans le discours métaphorique de certains, l'image de la montagne obtient, quant à elle, une faveur grandissante après l'échec du OUI au référendum sur la souveraineté : *Le 30 octobre, nous sommes arrivés presque au sommet. Pendant quelques heures, nous avons même pu apercevoir, de l'autre côté, le pays qui nous attend, et ces quelques heures nous ont remplis d'une fierté, d'une joie, d'une dignité qui font maintenant partie de nous, qui nous motivent et nous appellent* (JP, p. 151). Susceptibles de procurer des indices à la chasse au trésor de la souveraineté, l'histoire et la mémoire collectives des Québécois sont interpellées, pour répondre *a quo* et *ad quem* de la légitimité de la marche du Québec vers son indépendance, dans l'esprit même où « seul un idéalisme historique peut donner pleine ampleur à l'idée de nation, proclamée ici comme un modèle transhistorique, une forme essentielle ; une philosophie nationale subit la contamination et même l'irruption de l'élément idéologique[1] ».

Suivant cette perspective, il nous semble que le « Je me souviens », devise et projet du Québec, sert de loupe grossissante utile à la classification des faits historiques en jalons négatifs ou encore en jalons positifs au regard de la croissance de l'idée de l'indépendance du Québec. Car la vérité, écrit Gérard Mairet, « est dans le monde historique, elle n'est pas, comme le voulait Platon, hors du devenir. Au contraire, la vérité de la chose est l'historique, c'est-à-dire ce que, précisément, Machiavel appelle la nécessité. Ce mot *nécessité* renvoie à la matière à laquelle la souveraineté donne forme[2]. » Plutôt que de subir le destin de la survivance francophone en terre d'Amérique – miracle ou acte de résistance –, les idéologues de la souveraineté se montrent actifs ; ils revendiquent leur propre histoire comme un projet à mener à terme. Dans la souveraineté, expose l'auteur

1. Jean-Jacques Guinchard, *loc. cit.*, p. 30.
2. Gérard Mairet, *op. cit.*, p. 24.

du *Principe de la souveraineté*, « les hommes *font leur propre histoire*, selon une formule qui, d'un bout à l'autre de la chaîne théorique qui pense son principe, exprime adéquatement la fondation proprement humaine de la *res publica*[3] ». Toutefois, au Québec, c'est de la souveraineté du peuple dont il est question. Cette « autre façon de gouverner[4] » ne saurait convaincre d'élire un prince de la souveraineté. Aussi, la mise en commun du passé, de la volonté et du projet assure-t-elle à long terme la collectivisation de l'idée d'indépendance.

La nouvelle histoire, défendue par l'École des Annales, compte aussi des adeptes au Québec. Parmi eux, Fernand Dumont soutient le principe de la *longue durée*, cher à Fernand Braudel, dans son appréciation de l'histoire québécoise. Le marathon pour l'indépendance du Québec prendrait, dans l'esprit du sociologue, la forme d'une sorte de course à obstacles : *Depuis des décennies, nous nous butons contre le même obstacle, que tantôt on nous invite à aborder de front, que tantôt on nous supplie d'oublier : l'incapacité à donner un nouveau statut à la nation* (FD, p. 25). Tout en suivant la rhétorique de la genèse de la nation par la prise de conscience d'elle-même, Fernand Dumont développe, dans ses *Raisons communes*, la problématique du discours sur soi et l'idéologie de la survivance déjà posée dans sa *Genèse de la société québécoise*. Situant la Conquête de 1759 comme le point zéro de la référence mémorielle, Dumont pose la constitution d'une voix politique représentant la collectivité canadienne-française comme une affirmation progressiste et libératrice. Au-delà des arguments fondateurs traditionnels de la survivance et de l'existence d'une communauté qui se reconnaît comme distincte, l'idée de nation apparaît, chez Dumont, accompagnée de ses corollaires : l'existence présupposée d'un bagage historique commun et d'un même projet d'avenir.

Si la nation se ramène à la présence d'un héritage moteur de l'avenir, c'est l'édification d'une référence historique qui consolide les bases de ce cheminement vers un projet identitaire à réaliser : *S'il ne faut pas pleurer les choses mortes, ne point fouiller désespérément dans nos souvenirs, comment se garder de jeter sur l'avenir un regard abstrait, de prolonger en utopie un projet de culture qui ne serait que l'improvisation et la justification d'une classe récemment émancipée ?* (FD, p. 29). Or, aux traditions, marques de l'*origine*,

3. *Ibid.*, p. 14.
4. Slogan électoral du Parti québécois en 1994.

s'ajoutent les idées libérales du progrès et de la collaboration avec l'autre. Dumont perçoit la société comme étant un peuple *en marche dans l'histoire*, un peuple qui devra arriver à se reconnaître lui-même comme élu. Le *long malentendu historique* auquel Fernand Dumont renvoie ses lecteurs, en guise d'explication du retard dans l'assomption du destin collectif, trouve un album de famille élargi dans l'histoire, mais cependant exclusif quant au groupe propriétaire des souvenirs collectifs, chez un Jacques Parizeau : *Peu de gens vivant dans d'autres pays auront, sur le plan de l'identité, connu les soubresauts qu'ont connus ceux qu'on appelle, dans certains milieux, les Québécois de souche ou* [...] *les Québécois « pure laine »* (JP, p. 245). Comment, suivant cet exemple, ne pas accepter la réticence de Régine Robin quant à l'historiographie nationale ? Elle écrit : « L'historiographie ne doit jamais avoir comme rôle de redoubler les valeurs de la communauté, ne doit pas lui servir de récit hagiographique[5]. »

Le travail commun des idéologues de la souveraineté vers une amnésie collective « nécessaire », entamé par les références positives au passé de la société québécoise, relève, à notre sens, d'un exercice qui refuse l'amnistie des « barreurs de route » et le refoulement global de l'histoire nationale : *N'oubliez jamais que les trois cinquièmes de ce que nous sommes ont voté* OUI. *C'était pas tout à fait assez, mais bientôt, ce le sera. Notre pays, on l'aura !* (JP, p. 144). Ces tensions constitutives d'un récit collectif s'inscrivent dans un goût de la certitude qui maintient le sens de l'ambiguïté[6]. La mémoire historique apparaît comme le lieu du passage entre les souvenirs personnels de faits vécus et le rappel des faits historiques appartenant au passé. *Le grand virage dont je parle ne pouvait se faire sans qu'on tienne compte d'un certain nombre d'éléments historiques, lourds, profonds* (JP, p. 243). La fonction première de la mémoire est de donner une identité au groupe :

> une image agréable de soi-même, des racines respectables, des ancêtres héroïques, des malheurs admirables... Notre mémoire est notre miroir. Sa fonction seconde est morale : chercher des leçons dans le passé, des modèles à suivre,

5. Régine Robin, *loc. cit.*, p. 186.
6. Nous tenons cette réflexion des positions de Jean-Jacques Guinchard, *loc. cit.*, p. 24 ; André Ségal, professeur au département d'histoire de l'Université Laval, rappelle, dans nombre de ses cours, que la mémoire historique est particulièrement importante dans les sociétés issues d'une religion historique. Cela dit, au Québec, le catholicisme inciterait la communauté de pensée politique à voir le monde comme un temps fixe, déterminé par un Dieu, dont l'écoulement se dirige vers un but.

des gestes à éviter, des valeurs à conserver. La mémoire croit que le passé se répète ; elle craint la différence. Notre mémoire est un conservatoire[7].

Ainsi, les faits historiques remémorés collectivement par le groupe d'auteurs étudiés nous ramènent à l'idée de la lutte des francophones et de leur résistance à l'assimilation à la culture et à la langue anglaises :

Car si on se dit NON, *on sera de nouveau condamnés à la stratégie de la survivance, au repli défensif pour tenter de protéger notre langue et notre culture avec les moyens du bord ; ceux d'une province, ceux d'un peuple non reconnu, d'un peuple condamné à être de plus en plus minoritaire, avec tous les risques que comporte le statut de minoritaire* (JP, p. 140).

Guy Bouthillier affirme aussi la naissance trouble de l'idée de souveraineté en inscrivant l'ethnicisation des relations entre Canadiens français et Canadiens anglais *dès le départ, de la manière que l'on sait en 1763* (GB, p. 15). Du reste, que savons-nous ? *Cette idée ne quittera plus jamais les esprits* (GB, p. 19). Nous savons peut-être que seul le mot « Conquête » a traversé l'histoire des francophones du Canada pour rendre compte du transfert de possession coloniale de la France à l'Angleterre : que la « Conquête », vue comme un concept explicatif, est citée comme un argument d'autorité : [...] *le juge Deschênes disait de nos batailles linguistiques d'aujourd'hui qu'elles n'étaient somme toute que le prolongement de la bataille des Plaines d'Abraham d'hier* (GB, p. 101).

L'altercation armée d'une durée d'une vingtaine de minutes, sur un terrain cultivé au faîte du cap Diamant, entre les troupes britanniques et les troupes françaises grossies d'autochtones et d'Amérindiens, aura, plus que tout événement historique, donné aux Québécois un sens de l'histoire[8]. Nadia Khouri insiste sur le capital identitaire constitué par un événement d'importance, que nous associons ici à la bataille des Plaines d'Abraham, devenu mythe fondateur de l'imaginaire québécois, bien avant que le lieu

7. Notes de l'auteure suivant un entretien avec le professeur André Ségal organisé par l'Extension de l'enseignement de l'Université Laval, mai 1992.

8. Pour une étude documentaire lucide et humoristique autour de cet enjeu, voir *Le sort de l'Amérique* de Jacques Godbout (K-Films, 1997), dont Jocelyn Létourneau a tiré une réflexion du plus grand intérêt dans son récent livre, *Passer à l'avenir. Histoire, mémoire, identité dans le Québec d'aujourd'hui*, Montréal, Boréal, 2000 (bref chapitre intitulé « Risques et défis de la narration historienne », p. 109-114).

ne devienne un parc national géré par le gouvernement fédéral. Le mot « Conquête », l'expression aussi bien que l'argument, fait partie de ce « Discours fantasmatique, profondément émotif, [le discours de la souche] ne peut se maintenir que dans la réitération du mythe sur lequel il compte pour perpétuer sa permanence face au monde en constante mutation[9] ».

> *Dans cette affaire, l'histoire pèse de tout son poids. Deux siècles, si ce n'est plus, d'appartenance aux mots et aux catégories mentales de la chose ethnique créent des habitudes, affectent les mentalités. C'est en raison de la profondeur de cet ancrage, en raison aussi du côté mécanique, spontané, irréfléchi de nos attitudes en la matière, que l'on peut parler d'obsession ethnique* (GB, p. 63).

Cette définition exclusive du fait historique de la conquête britannique du territoire de la Nouvelle-France entraîne avec elle tout un monde de signification, une foule d'idées développées non seulement à partir d'un axe sémantique, mais autour d'une situation historique devenue événement mentalitaire : peuple conquis, groupes rebelles, résistance du faible devant le fort, domination et survivance...

> *Elle était grande alors cette Nouvelle-France et elle rayonnait dans toute l'Amérique. La Conquête l'a réduite comme peau de chagrin et les aléas de l'histoire l'ont enfermée dans des frontières toujours plus étroites* (JP, p. 306).
> *Reprenons le fil de notre histoire. La résistance des Québécois à l'union forcée de 1840 fut terrible. Ni reconnus ni traités en égaux, les Québécois ont fait en sorte que chacune des recommandations de Lord Durham morde la poussière* (JP, p. 119).

Jacques Parizeau n'est pas le seul équilibriste à se tenir debout sur le fil de l'histoire. Andrée Ferretti conçoit aussi l'histoire du Québec comme une structure téléologique, en faisant sienne la doctrine qui considère le monde comme un système de rapports entre les moyens et les fins. Cependant, l'auteure retourne « la fin inéluctable » du peuple québécois d'une manière négative, à la manière d'un Pierre Vadeboncœur, alors que Jacques Parizeau entend, par le projet de la souveraineté, faire place à la suite « naturelle » de l'histoire. Ainsi, Andrée Ferretti écrit : *Après 237 ans d'appartenance à un peuple conquis et annexé, dépossédé, dominé et exploité, bafoué et méprisé, sans cesse assiégé et sans cesse minorisé, je n'ai plus la patience*

9. Nadia Khouri, *loc. cit.*, p. 271.

d'attendre patiemment la fin du génocide, inéluctable, si nous ne faisons pas l'indépendance dans les plus brefs délais (AF, p. 11).

L'acte de se souvenir, puisqu'il implique une démarche réflexive personnelle, ne saurait constituer le même cheminement pour tous. D'une part, le souvenir se distingue de la projection par la multitude des origines et des aboutissements qu'il porte en germe. D'autre part, se souvenir, dans la conception souverainiste, c'est se souvenir de l'histoire nationale canadienne et québécoise dans le but de projeter la réalisation de la souveraineté dans l'avenir : *Cette histoire est avec nous, ce soir. C'est le bagage que nous portons. Et nous connaissons notre destination : la souveraineté* (JP, p. 307). C'est, par ailleurs, ce que les idéologues de la nation et, conséquemment, ce que les défenseurs de la devise québécoise entreprennent de faire en fournissant un récit référentiel à tous les Québécois dans la lutte pour la souveraineté : *Le combat que nous n'avons cessé de mener, qui donne tout son sens à notre histoire, et sans lequel ne nous serions pas ce que nous sommes* [...] (GB, p. 216).

Adoptons l'attitude critique de Gil Delannoi devant ces « nécessités » de se souvenir : « On n'insiste pas sans cesse sur ce qui va de soi. Le ressassement de la volonté de faire l'histoire et l'exagération de la conscience de soi désignent les pieds d'argile du colosse[10]. » À notre sens, le rôle des personnages de l'univers québécois se révèle donc inefficace à l'extérieur de l'idéologie, de même que les bornes historiques deviennent de plates dates distribuées sur une ligne du temps. C'est le récit qui donne vie à ces constituantes, qui leur donne leur raison d'être, leur substance et, en contrepartie, leurs armes :

> Ou bien le récit est un simple radotage d'événements, auquel cas on ne peut en parler qu'en s'en remettant à l'art [...] ou bien il possède en commun avec d'autres récits une structure accessible à l'analyse, quelque patience qu'il faille mettre à l'énoncer ; car il y a un abîme entre l'aléatoire le plus complexe et la combinatoire la plus simple, et nul ne peut combiner (produire) un récit, sans se référer à un système implicite d'unités et de règles[11].

10. Gil Delannoi, *loc. cit.*, p. 11.
11. Roland Barthes, « Introduction à l'analyse structurale des récits », *Communications*, n° 8, 1966, p. 2.

Ce système du récit se nourrit essentiellement de dates-clefs de l'histoire du Québec, ce qui nous permet de dégager une « ligne du temps » commune aux auteurs de notre corpus[12]. Jacques Parizeau renforce l'idée de peuple en marche en employant aussi bien l'exemple de la borne historique que la métaphore du chemin vers la liberté : *En 1791, l'Acte constitutionnel, qui instaure le Parlement dans lequel nous siégeons aujourd'hui, marque d'une autre pierre le chemin qui mène à notre autonomie* (JP, p. 117).

L'HISTOIRE COMME UN SOUVENIR

Les mythes désintégrateurs, échos de ressentiments de génération en génération, constituent aussi des « épisodes historiques conflictuels qu'étouffe la mémoire nationale d'ensemble[13] », dans la mesure où ces épisodes historiques, tout comme les personnages historiques, sont mythifiés. Dans sa volonté explicite d'effacer les entraves historiques du projet de la reconnaissance du Québec comme société distincte, Jacques Parizeau écrit : *Les hochets symboliques de société distincte et d'ententes administratives doivent être remisés dans les cercueils de Meech et de Charlottetown : c'est leur place* (JP, p. 148). Au-delà du devoir de se souvenir, imposé par les Josée Legault et Fernand Dumont, Andrée Ferretti milite pour le droit de se souvenir, en toute légitimité, d'une histoire qui n'appartient en réalité qu'à ceux qui l'ont vécue, mais que l'auteure fait sienne, se situant dans une définition du peuple québécois dont l'histoire commune serait constitutive :

> *Cette violence initiale contre mes ancêtres s'exerçait il y a maintenant 237 ans. Je devrais donc l'avoir oubliée. Comme je devrais avoir oublié celle aussi destructrice et*

12. Guy Bouthillier en fait le recensement exhaustif :
    1776-1777 : Immigration des Loyalistes
    1840 : Union des Canadas ; entreprise de minorisation
    1850 : Canadiens-français (C-f) passent sous la barre des 50 % démographiques au Canada-Uni
    1871 : C-f représentent 31 % de la population du Canada-Uni
    1867 : Confédération : Gouvernement fédéral et le peuplement de l'Ouest
    1982 : Clause Canada de la Constitution (art. 23), patrimoine multiculturel (art. 27)
    1987 : Échec du lac Meech
    1991 : 7,5 millions de personnes immigrantes parlant anglais + 9,7 millions d'origine britannique assurent une prépondérance absolue sur 6,5 millions de Canadiens de langue maternelle française.
    1992 : Échec de l'accord de Charlottetown.
13. Jean-Jacques Guinchard, *loc. cit.*, p. 19.

plus meurtrière encore exercée contre les Patriotes, en 1837 et 1838, où ont été tués, pendus, déportés, emprisonnés et violées leurs femmes et leurs filles, ceux des nôtres qui osaient lutter contre leur oppression, une domination et une exploitation devenues alors si intolérables qu'il en allait, au-delà même de sa survie, de la dignité de notre peuple qu'elles soient combattues. Comme je devrais avoir oublié les morts, les blessés, les prisonniers et autres répressions militaires qui jalonnent notre histoire (1810, 1918, 1932, 1970). Comme je devrais avoir oublié les coups de force constitutionnels, les empiétements sur nos juridictions, la transgression de nos lois et l'incessant mépris de notre identité, de notre culture et de notre langue. Il n'est en effet, aujourd'hui, au Québec, rien de moins pollitically correct *que la mémoire historique* (AF, p. 18-19).

Si Andrée Ferretti fait de l'acte de se souvenir une cause qui participe d'un besoin en servant une fin, celle du regroupement autour d'un noyau de récriminations pour se plonger dans un projet collectif d'avenir, Jacques Parizeau refuse aux Canadiens fédéralistes l'option de se remémorer d'autres faits historiques qui concernent les Québécois : *La propagande fédéraliste a fait en sorte de projeter sur le temps présent les idées fascisantes que défendaient certains Canadiens-français dans les années trente, de façon à jeter le discrédit sur le mouvement indépendantiste* (JP, p. 238). L'argument principal de Jacques Parizeau s'appuie sur la « normalité » de l'évolution historique des Québécois :

Je sais bien que les adversaires de l'idée de la souveraineté nous disent : « Vouloir fonctionner en français dans cette société, cela a des relents, peut-être de racisme ou de xénophobie. » Il faut répondre « Non, non, c'est la normalité des choses... aboutissement normal d'une évolution normale » (JP, p. 259).

Hésitant entre l'héritage nationaliste canadien-français des années trente et le recours massif à une histoire nationale exclusivement québécoise, Guy Bouthillier tient, pour sa part, à rappeler que la véritable mère de la nation est celle qui ne se dissout jamais ; l'histoire plutôt que la mère patrie : [la chose ethnique] *traverse notre histoire, du moins celle qui commence en 1760* (GB, p. 79) ; *si la géographie nous encadre, l'histoire nous façonne* [...] (GB, p. 215). Entre la nécessité du souvenir, l'obsession mémorielle et la mémoire sélective, la nation québécoise nous apparaît, comme l'écrit Eric Hobsbawm, définissable *a posteriori*[14]. Aussi, après

14. Eric Hobsbawm, *op. cit.*, p. 20.

qu'un Québécois sur deux eut voté NON au référendum sur la souveraineté, l'histoire est appelée comme juge au tribunal national. Mais l'histoire commune suffit-elle à créer une nation ? *Ce refus de plus en plus marqué d'être et de se nommer face à ceux qui attendent que nous cessions tous de le faire serait-il pour le Québec l'aboutissement de quatre siècles d'existence ? L'histoire jugera* (JL, p. 57). Guy Bouthillier confirme : *Si le Québec n'est pas né le 30 octobre 1995* [...] *c'est que le Québec n'était pas encore né* [dans sa quotidienneté] (GB, p. 207).

Outre le passé historique commun – et mis en commun par les idéologues de la souveraineté – mettant en relief les épreuves et les drames surmontés et vécus par une collectivité dont les Québécois seraient héritiers et tributaires dans leur identité, le présent commun et les intérêts partagés dans la quotidienneté, y compris la force de résistance du groupe contre les ennemis extérieurs et les traîtres de l'intérieur, l'avenir commun et la volonté de poursuivre une route « ensemble » motivent la rigueur du discours téléologique[15]. La nation est un processus beaucoup plus qu'un état fixe[16], elle se constitue au détour des chemins, de la rencontre de plusieurs facteurs et de plusieurs volontés individuelles. Il s'agit d'une entreprise de réunion et de rassemblement de divers acquis à faire fructifier. Elle est un résultat et un chantier ; elle ne saurait être un point final, elle est un point d'orgue, puisque, comme le son, elle est, pour reprendre l'expression de Guy Lachapelle, « fluide et fuyante[17] ». D'après plusieurs théoriciens de la nation, celle-ci serait une catégorie historique, ayant un début, un développement, et qui, éventuellement, pourrait disparaître. Pour nous, elle est davantage une pratique mentalitaire à étudier qu'une réalité palpable ou une catégorie d'analyse.

> *Nous avons la responsabilité – tous autant que nous sommes – de tendre encore plus nos forces pour la* [la victoire du OUI] *saisir. Nous avons la responsabilité – tous autant que nous sommes – de nous comporter, cette semaine, comme les citoyens d'un peuple fondateur* (JP, p. 140).

Confiant dans son rôle de chef, Jacques Parizeau contraint les Québécois, ceux qui veulent la souveraineté, à retrouver l'énergie de ceux qui se

15. Jean Baechler, *op. cit.*, p. 13-14.
16. IRED, p. 36.
17. Guy Lachapelle, *op. cit.*, p. 34.

sont embarqués aux XVIIe et XVIIIe siècles pour bâtir l'Abitation de Champlain puis la ville de Québec, afin de fonder un pays neuf, soit dit en passant vieux de près de quatre siècles. Il s'agit, pour vendre la souveraineté à des consommateurs d'histoire au présent de (re)fonder le Québec d'hier et celui de demain. Cette identité canadienne-française puis québécoise est à retrouver dans un élan venu du passé :

> *Ces deux textes* [le projet de loi sur l'avenir du Québec et le texte de la question référendaire] *constituent la suite logique de la marche des Québécois pour leur développement. En un sens, ils prennent le relais de plus de quatre cents ans d'histoire et, en particulier, de plus de trente ans de tentatives déterminées mais infructueuses de trouver au Québec une juste place au sein du Canada* (JP, p. 117).

Ces textes dirigent vers un sens précis la compréhension de l'histoire nationale canadienne-française du territoire québécois. L'argument pragmatique visant à défendre la nécessité de la souveraineté par référendum trouve en effet des appuis dans les faits historiques, pensés comme une suite téléologique doublée d'une quête du Graal identitaire. Or, cette épreuve initiatique, passée en relais depuis « quatre cents ans » de génération en génération sur des terrains enneigés et glissants, ne saurait être perçue comme telle sans les péripéties symboliques du peuple à travers les traités opposant les Canadiens français aux Anglais : *Un pays qui vit en français, ce qui est, là encore, dans la logique des choses ; un pays du Québec, de par ses origines, de par son développement, de par sa progression doit être un pays francophone* (JP, p. 259). Faisant référence aux deux référendums sur la souveraineté tenus au Québec en 1980 et 1995, Jacques Parizeau confirme le caractère unique de la destinée des Québécois : *Ce n'est pas donné à tous les peuples d'avoir, sur une période de quelques années, une deuxième chance de prendre en main son destin* (JP, p. 140).

L'argument téléologique prend son seul sens lorsque chacun des éléments mis en lumière par le discours de la mémoire nationale devient un échelon pour gravir et conquérir les sommets de la souveraineté. Ainsi, devant l'Assemblée nationale, à l'occasion du débat sur l'adoption de la question référendaire, Jacques Parizeau expose sa démarche en toute bonne foi : *À l'heure de franchir l'étape qui nous mène enfin à cet objectif, vous ne m'en voudrez pas de la mettre brièvement en perspective, de l'insérer dans la chaîne des événements qui nous ont menés jusqu'ici* (JP, p. 117).

CHAPITRE SEPTIÈME

L'exemple par la référence au passé

> Ce que saint Augustin disait du temps, nous pouvons le dire ici de la nation: Qu'est-ce donc de la nation? Si personne ne me le demande, je le sais; mais si on me demande de l'expliquer, je ne le sais plus.
>
> *Jean-Jacques Guinchard*

IL EST COMMUNÉMENT accepté, dans le monde savant, de distinguer les faits matériels des faits mentaux. Or, dans la mesure où des faits historiques sont employés comme exemples dans un discours rhétorique, il semble que ceux-ci transgressent leur rôle identificateur pour devenir des phares, des «prophètes à rebours[1]» dans les mentalités. Il semble aussi que, ainsi portés par le souffle d'une nouvelle mission, ces faits historiques deviennent des porteurs de sens dans le monde des faits mentaux à incidence, c'est-à-dire qu'ils s'y présentent comme des facteurs.

1. L'expression est de Paul Veyne.

> Il y a forcément une dialectique difficile à tenir entre deux processus, celui qui problématise le passé, le rend problématique, le tient à distance et celui qui le convoque sans arrêt pour fixer, souder, mobiliser, unanimiser, fonder[2].

La dialectique du théorique devient ici une pratique dans la mesure où le passé est collé à l'affirmation de la mémoire par l'idéologie. Le facteur historique est alors un fait intégré dans un système explicatif. C'est selon cette position de la signification essentielle que l'exemple devient, dans le discours souverainiste, un véritable tremplin pour sauter de l'imaginaire collectif aux conseils pratiques. Dans le cas qui nous occupe, il s'agit de se souvenir de « nous », et de « nous » seulement, car l'oubli des « autres » légitime la mémoire du « nous ».

Aussi, le principal argument, qui prend la forme d'une métaphore que l'on file à souhait – celle du chemin –, se conçoit sur une ligne. Le chemin projeté n'est possible, dans l'argumentaire souverainiste, qu'en évoquant ou en invoquant le chemin parcouru. *Des votes acquis, avons-nous dit. Ils le sont depuis toujours : 1942, 1980, 1995* [...] (GB, p. 185). Or, des exemples sont sélectionnés dans une histoire et une mémoire collectives québécoises souvent confondues[3]. Il s'agira, dans ce chapitre, de faire une typologie des exemples faisant référence au passé, selon que chacun de ces exemples procède selon un développement narratif, contient une exemplarité implicite ou vise précisément à délibérer.

La figure de l'exemple nourrit l'argumentaire de la narration de la nation, en puisant dans le bassin des expériences passées et pensées et en les présentant comme le bagage culturel des Québécois. Nous avons choisi d'étudier dans ce chapitre des textes où se dégagent principalement les arguments de la succession, du gaspillage et de la direction. La

2. Régine Robin, *loc. cit.*, p. 200.
3. Nous entendons par histoire le récit d'événements historiques accrédités par l'institution historienne québécoise. L'histoire s'énonce, ses hypothèses se prouvent et sa méthode se critique. La mémoire est une appropriation personnelle de données historiques, de mythes et d'objets de mémoire. C'est-à-dire qu'elle se fond dans un bassin d'images souvent fortement connotées par les traditions familiales ou culturelles. Pour qu'il y ait mémoire, il faut nécessairement qu'il y ait oubli. L'histoire vient répondre au besoin de mémoire ; la mémoire donne souvent de nouvelles problématiques à l'historien. Une telle réflexion ne vise ni à légitimer ni à réduire l'argumentation souverainiste. Il est plutôt un outil d'observation par lequel nous nous permettons de dégager les bornes d'un discours prédominant au Québec pendant la période préréférendaire de 1995, pour apprécier la qualité rhétorique des exemples dont l'omniprésence donne l'impression de baigner dans un grand récit.

réflexion de l'essayiste Pierre Vadeboncœur dans *Gouverner ou disparaître* met au jour une argumentation typique de la succession[4]. La référence au passé historique des Québécois apparaît comme le recours premier de l'auteur : si le Canada n'a pas reconnu le Québec par le passé, il ne le reconnaîtra pas dans l'avenir. Sa thèse – son titre – s'énonce selon un raisonnement *tertium non datur :* gouverner ou disparaître, sans espace d'alternative. Le développement de son argumentation fait ainsi une large part aux faits historiques qui sont appelés à être remémorés dans la perspective de la continuité ou, si l'on préfère, du bagage collectif. En effet, son essai ne se veut pas une chronique, au sens arrêté du terme ; il tente plutôt de susciter un éveil de la mémoire, pour mettre à profit un argumentaire reposant sur la connivence attendue du lectorat québécois ou québécophile[5].

Le cœur à l'ouvrage est construit à partir des propos recueillis lors des commissions itinérantes sur l'avenir du Québec qui ont précédé le référendum du 30 octobre 1995. À la fois statistique et empreint d'images de la vie quotidienne, véritable tableau rhétorique ou peinture vivante, ce texte rassemble plusieurs éléments constitutifs du discours politique souverainiste dont l'objectif est de rallier un maximum de citoyens du Québec sous la même bannière identitaire. *Le cœur à l'ouvrage* vise à canaliser la force motrice populaire : la volonté de voir des changements s'effectuer dans l'ordre social. La dualité du message préréférendaire pour le OUI oscille entre le ravivement de la mémoire collective des Québécois et la proposition d'un projet d'avenir à la mesure d'un Québec contemporain, aux réalités culturelles et économiques nouvelles, issu d'un Québec traditionnel modernisé dans les années de la Révolution tranquille.

4. Nous tenons à signaler un premier article que nous avons publié dans la revue *Littérature* (1999) du département de langue et littérature françaises de l'Université McGill, qui recoupe notre analyse de l'exemple dans le texte étudié de Pierre Vadeboncœur.
5. Nous tenons à préciser que notre propos ici n'est pas de connoter négativement le mot connivence. Il s'agit plutôt de faire voir comment les inférences dues à la connivence jouent ici en faveur de ce type de discours.

LE DÉVELOPPEMENT NARRATIF

Le développement narratif de l'argument souverainiste est entendu ici comme un microrécit autoréférentiel dont la fonction première serait de projeter l'avenir sur une ligne du temps déjà marquée par des événements historiques signifiants. Les quelques extraits qui suivent viennent illustrer cette observation.

> *La loi 86 sur la bilinguisation est une loi linguistique en apparence mais de politique générale antinationale en réalité. Les positions du gouvernement libéral dans les matières qui concernent spécifiquement la nation ont toujours ce caractère ambigu et pernicieux* (PV, p. 11).

On a d'abord ici, sous la forme d'une affirmation, un argument qui fonctionne par la dissociation des notions ; le *distinguo* prétend faire voir la complexité d'une notion présentée comme lisible, c'est-à-dire comme stable, fixe, et ne nécessitant aucun travail d'explicitation. En effet, Pierre Vadeboncœur introduit une dualité dans une formule finie : la *loi 86* devient dans son discours autre chose qu'un énoncé clos. Elle se transforme en réalité double, dont l'une des interfaces sert de maquillage à l'autre, qui serait vraie et laide. Cette assertion tient lieu de préambule au développement d'une argumentation par l'exemple faisant référence au passé :

> *Par exemple, à Meech, à Charlottetown, il s'agissait officiellement d'ententes censées devoir satisfaire le Québec et donc régler le litige constitutionnel. Or, elles ne comportaient que des formes vides et n'avaient qu'un but réel : mettre un point final à la contestation constitutionnelle en enfermant le Québec dans une constitution soi-disant nouvelle mais qui en gros n'était autre que l'ancienne, badigeonnée. Le langage prétendait cependant tout autre chose* (PV, p. 11).

En citant Meech et Charlottetown, Vadeboncœur interpelle la mémoire historique des Québécois. En 1990 et 1992, des réunions interprovinciales orchestrées par le gouvernement fédéral avaient, entre autres, mis en échec la question de la reconnaissance canadienne d'une spécificité du Québec au sein du Canada. C'est précisément ce « entre autres » que le présupposé de la connivence vient mettre entre parenthèses. C'est la fonction mémorielle du bagage collectif qui est ici interpellée, et non pas la fonction historienne. Or, l'auteur explique l'adverbe *toujours* employé dans l'énonciation du problème (*Les positions du gouvernement libéral dans les matières qui concernent spécifiquement la nation ont* ***toujours*** *ce caractère ambigu et pernicieux*) par un argument de succession qui vise à amalgamer la *loi 86* aux expériences passées, comprises comme des échecs dans la reconnaissance du caractère distinct de la société québécoise. Vadeboncœur conclut le développement narratif de son exemple en rappelant sa visée explicative : *C'est ainsi qu'on en arrive à ces accords frauduleux dont on a vu deux exemples en cinq ans, Meech et Charlottetown, justement* (PV, p. 12).

L'argument présentait deux noms propres, celui d'un lac et celui d'une ville ; la boucle est maintenant bouclée par le retour sur ces noms qui sont devenus, au terme de la démarche interprétative de l'exemple, deux échecs de plus au bilan de la négociation québécoise, échecs garants des échecs futurs, si les Québécois ne se décident pas à se gouverner. En effet, les noms d'événements (Meech, Charlottetown) apparaissent comme des résumés de microrécits implicites dont la narration n'est pas développée dans l'exemple. Cette démarche interprétative des faits historiques contribue ainsi au « récit » itératif, activé par ce ***toujours*** qui, pour sa part, fait appel à la mémoire.

Le cœur à l'ouvrage vient, quant à lui, fixer un ultimatum à ce combat « historique », en déplaçant la suite négative (les échecs) vers une suite positive de conséquences (la vaillance au combat). Ce sommaire narratif remplit les mêmes fonctions argumentatives puisqu'il compose un récit référentiel. En effet, le développement narratif suivant vise précisément à délibérer. Il s'agit, dans une page-clef, la dernière du *Cœur à l'ouvrage*, de rassembler les arguments de valeur sûre, comme ceux de l'histoire, et de terminer le discours en visant juste mais large, afin que les lecteurs soient convaincus qu'il faille voter OUI à la souveraineté du Québec. En inscrivant l'altérité dans une véritable page d'histoire « à faire », il semble que le recours au passé soit essentiel :

> *Le référendum, finalement, c'est un rendez-vous avec la suite logique de notre histoire. Depuis une quinzaine d'années, la marche des Québécois pour leur affirmation* [...] *a été freinée par les blocages canadiens, et par une constitution qui nous a été imposée contre notre gré. Pour poursuivre notre développement comme peuple, et pour retrouver une saine coopération avec nos voisins canadiens, il faut franchir l'étape d'un Oui, avec la solidarité et la sérénité qui ont marqué notre histoire* (CC, p. 83).

Balançant entre l'argument du gaspillage et celui de la direction, dans lesquels, depuis le référendum de 1980, les années sont entendues, d'une part, comme des pas, des étapes de prise de conscience et de développement de l'idée souverainiste et, d'autre part, comme un chemin qui mène à quelque chose, le développement vise à faire comprendre l'investissement que représentent les démarches québécoises d'affirmation et suggère lourdement qu'il n'y a qu'une voie à suivre pour atteindre l'épanouissement comme peuple : la souveraineté politique de la nation québécoise. Or, les arguments sont fondés sur une matrice qui se lit en palimpseste[6] : les valeurs de solidarité et de sérénité ne sont pas nées d'hier.

Au contraire, l'histoire serait tissée autour de ces constantes, vérifiables dans l'histoire, et donc porteuses dans l'avenir. Cette dernière affirmation est aisément déductible dans la logique de l'exemple par la référence au passé puisque celui-ci fonctionne précisément dans l'implicite par l'argument de succession complexifié. L'argument se construit selon deux types de succession qui invoquent infailliblement la mémoire collective. L'un, négatif, relève les blocages canadiens : depuis quinze ans, on a connu plusieurs débats constitutionnels (encore Meech et Charlottetown). L'autre, positif, fait émerger la qualité constante des valeurs de solidarité et de sérénité, qui, même devant l'échec des tentatives de négociation, se sont enrichies et renforcées par des expériences :

> *L'enjeu est important. Dire Non, le 30 octobre, ce serait renoncer à la marche du Québec. Ce serait rester dans un cul-de-sac dangereux pour notre avenir.* [...] *Ce serait accepter de recommencer, chaque année, les chicanes entre Québec et Ottawa* (CC, p. 83).

La métaphore du chemin dessine une fois de plus l'argument de la direction. Refuser de voter OUI relèverait du refus d'entrevoir des événements consécutifs nuisibles que nous pourrions imaginer comme semblables à « ceux qui ont déjà été vécus ». Les conséquences sont tracées en fourche, dans ce dilemme apparent, où la première branche est explicitée dans l'extrait cité. On aurait, si l'on vote NON, à souffrir d'un immobilisme puis d'une mort, déjà latente dans l'insuccès de la négociation d'un Québec distinct au sein du Canada : c'est le *cul-de-sac dangereux*. Si l'on vote OUI,

6. Voir la notion littéraire de Gérard Genette.

il n'y aura plus de *chicanes entre Québec et Ottawa*, il sera possible d'accéder au statut légal que les souverainistes posent comme légitime pour tous les Québécois : l'indépendance.

Les extraits cités ont permis de mettre en lumière les fonctions de la micronarration en ce qui a trait aux arguments puisés dans le passé. Ajoutant à la seule valeur de l'exemple par la référence au passé, la figure exemplaire implicite propose un modèle du passé à imiter dans le présent.

L'EXEMPLARITÉ IMPLICITE

L'introduction du développement narratif de l'exemple suivant fait presque figure de prétérition ; en faisant mine de le passer sous silence, l'auteur attire davantage l'attention sur le passé historique des Québécois. En effet, alors que l'argument est en réalité fondé sur les valeurs de définition acquises dans un passé remémoré par le terme-clef de Conquête, celles de peuple conquis et de culture survivante, Pierre Vadeboncœur présente l'histoire comme quelque chose à dépasser. Toutefois, l'auteur démontrera que s'ils ne peuvent pas puiser des garanties d'avenir dans leur passé historique (ce qui est compris comme faux par ceux de même connivence), les Québécois auraient l'occasion de voir dans le passé des autres peuples distincts une logique de causalité analogue à l'éventualité québécoise :

> *Nous ne savons pas ce qui nous attend puisque nous ne l'avons jamais vécu. Nous avons d'ailleurs les promesses de la vie éternelle, qui pour nous est en arrière. À cet égard, l'impression laissée par cette histoire n'est qu'une mauvaise habitude, mais très enracinée. Le passé nous fournit seulement l'exemple d'un petit train qui va loin.* [...] *Cela se comprend. Nous n'avons jamais été de grandes victimes, encore qu'il ait fallu lutter vigoureusement, après la Conquête, mais il y a de cela un siècle et demi et même deux* (PV, p. 162).

Le rappel du passé mythique, ayant comme point zéro de la référence l'événement historique de 1759, vient suggérer l'idée de la lutte et de l'enracinement dans un espace où le peuple aux racines françaises est en minorité, ou du moins sous une tutelle dominatrice. La formule *encore qu'il ait fallu* vient en ce sens réactiver la mémoire (et les soupirs qui viennent avec elle), mémoire qui ne saurait accepter la teneur première de l'assertion suivante : *D'expérience, nous ne savons rien d'un peuple éperdu et brisé* (PV, p. 162).

Cet énoncé mi-ironique mi-prophétique vient obscurcir les rapports du peuple québécois avec son propre passé. L'auteur joue avec l'ombre pour mieux mettre en lumière l'exemplarité de l'expérience de peuples ayant vécu des situations analogues dans leur passé collectif. Le discours de connivence espéré reviendrait en effet sur les mots de Vadeboncœur pour évoquer les souffrances causées par la Conquête et clamer « oui, nous le savons d'expérience, ne laissons pas les événements passés se répéter » : l'imposition du Serment du Test dès 1763, la perte du pouvoir représentatif lors de l'union des deux Canada(s) et la fonte désavantageuse des dettes en 1840, l'exil des ouvriers francophones aux États-Unis au tournant du siècle, la crise de 1930, les arrestations massives de « révolutionnaires tranquilles » en octobre 1970... et l'on pourrait continuer longtemps en puisant dans le bassin d'événements significatifs de la mémoire collective, rendu exhaustif par un Pierre Graveline.

Mais Pierre Vadeboncœur préfère dresser le tableau sombre d'autres histoires, puisque le modèle exemplaire se comprend mieux lorsqu'il se distingue d'un tout déjà approprié. D'une part, l'histoire lui apparaît comme une preuve évidente et riche en soi, elle est presque un argument d'autorité, du moins dans le cas des Irlandais ; d'autre part, il crée une figure exemplaire pour dénoncer implicitement l'inférence bien connue des Québécois à propos de leurs ancêtres canadiens-français écorchés par le rapport Durham, « peuple sans histoire ni culture » :

> *Mais demandez à un Juif préoccupé de la condition juive ce qu'est une aliénation ethnique. Demandez-le aux Irlandais, qui ont de l'histoire. Ou, plus simplement, interrogez des Canadiens-français de Saint-Boniface ou de Moncton.* [...]. *La conclusion est évidente* (PV, p. 162-163).

La conclusion reste évidemment à faire. La réticence rhétorique de Vadeboncœur à développer sa pensée jusqu'au bout impose au lecteur la motivation de l'exemple. En effet, la retenue de l'orateur, l'interruption volontaire de la phrase qui clôt l'exemple narratif met le lecteur dans le coup, en lui laissant deviner le reste de la phrase. Aussi, en rapprochant l'histoire collective d'autres peuples discriminés, l'histoire à venir – « à faire » – devrait-elle prendre un autre cours : ou bien le peuple endure et il disparaît, ou bien le peuple s'impose et il gouverne. Mais, dans tous les cas, il faut se souvenir. Quoi de plus touchant que le rappel de la jeunesse, de sa jeunesse, dans les moments où l'action s'impose ? La fougue, la détermination, la fraîcheur d'un projet nouveau sont mises en rapport emblématique avec la jeunesse historique de la société québécoise. Ici, l'exemplarité implicite fonctionne comme un miroir déformant : « faites comme avant ! » proclame *Le cœur à l'ouvrage :*

> *Il y a 35 ans cette année, le premier ministre Jean Lesage lançait sa fameuse « Révolution tranquille ». Elle a mis au monde un Québec moderne, éduqué, libéré de ses complexes d'infériorité. Ce printemps, la Commission des Jeunes sur l'avenir du Québec nous a appelés à lancer une « seconde révolution tranquille », pour donner au Québec un nouvel élan, dans tous les domaines* (CC, p. 14).

L'image du printemps renforce l'idée de renouveau, elle vient aussi suggérer la possibilité de faire du neuf avec du vieux, c'est-à-dire de faire la souveraineté du Québec avec la qualité d'un esprit qui a déjà existé dans l'histoire québécoise, à l'époque de la Révolution tranquille, par exemple. Comme la nature, le peuple québécois aurait droit (sur un cycle de saisons de plusieurs années, on s'entend !) de faire peau neuve : une révolution tranquille. L'exemplarité dépasse ici le stade de la connivence. À un premier niveau de lecture, l'auteur vise à éveiller la mémoire non consignée de chacun des Québécois, ceux qui étaient présents en 1970. Implicitement, et à un second niveau de lecture, il vise à réunir les Québécois, tous confondus, qui souhaitent un changement. Il assemble, dans une image extérieure, télescopique – puisque antérieure au projet présent – les constituants nécessaires à sa réalisation future. L'action du présent se déduit alors de l'adéquation passé/futur et est subsumée par elle.

Il semble que la typologie des exemples par la référence au passé recoupe, du moins dans les deux textes examinés ici, trois arguments : la succession, le gaspillage et la direction. En effet, l'argumentaire fondé sur un passé complexifié en différents vecteurs identitaires (histoire, mémoire, passé, bagage collectif) trouve lui aussi, comme le discours, sa forme sur une ligne. Ligne argumentative et ligne du temps, la logique causale ainsi doublée, voire forcée, par la rhétorique vient rendre service au développement narratif. Celui-ci s'impose par l'existence d'événements passés devenus signifiants. Aussi, l'implicite de l'exemplarité va se dissoudre, au moyen d'inférences de connivence, au profit de la justesse du modèle proposé. Puisé dans l'expérience passée, le modèle donne lieu à un retour sur soi, à un narcissisme fécond qui permet de retrouver la volonté de changement de « nos jeunes années ».

L'exemplarité implicite, même si elle fonctionne dans un bassin d'événements passés, donne l'occasion au discours souverainiste d'intégrer un plus grand nombre de Québécois au projet de l'indépendance. L'argument est double : d'une part, il éveille la mémoire des Québécois « de souche » ; d'autre part, il invite tous les Québécois à la comparaison, en prenant comme exemple une situation qui n'est pas vécue, en vue de proposer un projet neuf[7].

L'argument de la direction prend racine dans des récits moyens qui comprennent souvent des microdéveloppements pouvant être étudiés en eux-mêmes, comme nous l'avons fait, en stipulant leur caractère autoréférentiel. Plusieurs autres arguments se posent en intersection à différents niveaux de lecture. Il n'est donc pas aisé de conclure de façon univoque en ne repérant que quelques éléments constitutifs de l'argumentaire souverainiste. Toutefois, le *topos* de quantité nous assure de l'importance du rappel du passé dans le raisonnement, puisqu'il fonde les valeurs québécoises sur le long terme. Cela nous permet d'avancer qu'histoire et mémoire confondues servent la connivence, elle-même responsable de la réception du message souverainiste.

La cinquième catégorie paradigmatique de la grammaire de l'argumentaire souverainiste est l'histoire commune. Or, selon que l'argumentaire est davantage orienté vers des auditoires nationalistes orthodoxes ou vers des colloques universitaires où la critique tend à se définir comme républicaine, nous avons identifié les composantes suivantes : l'histoire commune est « ressentimentiste », unificatrice, à dépasser, ou encore garante de l'avenir.

7. Eric Hobsbawm et bien d'autres théoriciens définissent la nation comme « les membres d'une communauté qui désirent vivre sous le même gouvernement, et désirent être gouvernés par eux-mêmes ou exclusivement par une partie d'eux-mêmes » (Eric Hobsbawm, *op. cit.*, p. 30).

Conclusion

QUE RESTE-T-IL QUAND ON A TOUT OUBLIÉ ?

La véritable tradition, dans les grandes choses, ce n'est pas de refaire ce que les autres ont fait, c'est de retrouver l'esprit qui fait ces choses et en ferait tout autres, en d'autres temps.

Paul Valéry
Le patrimoine immatériel

LES DISCOURS étudiés nous ont fourni la substance nécessaire à l'élaboration d'une matrice englobant les différents facteurs constituants de l'argumentaire souverainiste. Cette matrice prend la forme d'une grammaire, codifiant des idéologèmes et des exceptions rhétoriques. La grammaire souverainiste constitue, nous l'avons vu, un ensemble de règles à suivre pour argumenter correctement l'indépendance du Québec par le biais des catégories paradigmatiques recoupant les syntagmes de l'identité québécoise et du passé historicisé des Québécois.

En ce sens, nous avons observé que l'argument souverainiste est valide conditionnellement à sa participation à la morphologie obligée par les idéologues de l'identité québécoise. Le « Bon usage » souverainiste recoupe, nous l'avons exposé, les syntagmes du « nous » québécois et de la ligne du temps de la mémoire historique. Ce « Bon usage », rappelons-le, est, à notre avis, partie prenante à la fois de cette grammaire qui accepte les exceptions – mais seulement celles qui font la règle – et de celle qui fixe le dicible, le pensable et l'argumentable dans une langue donnée. Autrement dit, le « Bon usage » refuse l'usage ironique des éléments de la grammaire souverainiste ; il cerne une morale rhétorique par laquelle les opposants à l'idéologie souverainiste devront se résigner à ne pas partager le même langage que leurs adversaires idéologiques. L'incompréhension est malheureusement une donne importante dans l'observation des forces du OUI et du NON, elle assure la permanence des dialogues de sourds entre « les deux solitudes » que tente de réconcilier Charles Taylor. La grammaire d'un argumentaire, c'est l'art de ne pas penser de la même façon que l'adversaire rhétorique.

C'est par le procédé de la génération de l'argumentaire souverainiste que nous serons en mesure d'évaluer son fonctionnement à l'interne, non pas dans la réception populaire de l'argumentaire lui-même, mais dans l'étude des formes et des fonctions d'où émerge un discours propre à la langue de l'indépendance du Québec pour la période entourant le référendum de 1995.

Dans un premier temps, contentons-nous de dresser la liste des redondances en ayant recours aux différentes synthèses des chapitres précédents. Cela nous permettra d'abord de fixer des constantes « grammaticales » dans le discours souverainiste. Aux éléments communs, des intersections prennent davantage de relief : celles du phénomène identitaire, des valeurs qui lui correspondent, de la définition de la nation, des personnages mythifiés et de la ligne du temps mémorielle. Ces éléments constituent, à notre sens, la plus simple expression de l'argumentaire québécois pris comme un récit.

Nous avons observé les arguments souverainistes en construisant un simulacre en forme de grille, qui nous a permis de dégager, dans la structure de l'argumentaire souverainiste, les trois axes de la rhétorique classique : l'*ethos*, le *pathos* et le *logos*. La figure de la matrice nous a aussi permis d'embrasser plus large que les éléments communs aux discours constitutifs du discours souverainiste, donnant ainsi une place aux arguments en marge de la trame discursive du projet souverainiste de 1995.

La rhétorique de l'argumentaire souverainiste pourrait se découper ainsi :

Ethos	⟶	identité francophone	⟶	nation culturelle
Pathos	⟶	histoire commune	⟶	nation organique
Logos	⟶	contrat social	⟶	nation civique

Nous avons donc en réponse à l'*ethos*, c'est-à-dire au caractère que l'orateur doit avoir, une définition de l'identité québécoise qui s'appuie principalement sur la langue française (protégée successivement par les lois 101 et 98), nonobstant l'origine ethnique et la religion. Le discours souverainiste porte en étendard la bannière identitaire d'un Québec territorial et francophone, gommant à ce niveau les autres étalons traditionnels de l'appartenance à la nation.

Le *pathos*, cette action de l'orateur sur les passions, les désirs et les émotions de son auditoire pour mieux le persuader, se nourrit essentiellement de l'histoire remémorée, qui tend à faire valoir un passé commun d'oppression linguistique et économique. Cette mise en commun du passé s'opère à partir du présent, ce qui permet la plus grande portée de ce discours dans les communautés immigrantes récentes. Le rapport au passé historique fonctionne selon que les événements du passé entrent dans la mémoire collective en prenant la valeur d'exemple afin de nourrir un projet collectif à réaliser : la souveraineté territoriale, culturelle et politique du Québec. Les personnages mythifiés (bons et méchants, de bonne volonté ou de mauvaise foi) illustrent l'histoire passée et l'histoire contemporaine de la société québécoise en proposant des modèles par l'action rhétorique des figures exemplaires.

La volonté populaire d'opérer un changement social est orientée vers la souveraineté du Québec au moyen des concepts de « contrat social » et de « démocratie référendaire », arguments raisonnés comme le *logos* de la rhétorique classique. L'apport de la tradition philosophique révolutionnaire française est ici considérable. La dimension républicaine de la quête de l'indépendance fonde en effet sa valeur, au Québec, sur une modernité conforme à l'élaboration de la forme des États-nations. Ce travail de mimétisme permet au discours de la nation québécoise de se réconcilier avec un monde politique en bouleversement. L'avenir commun projeté par le discours souverainiste s'appuie, quant à lui, sur des valeurs de la permanence (solidarité, travail) et sur une ligne du temps jalonnée de dates significatives d'échecs nationaux ou de gains collectifs.

Un second découpage nous permettra de voir comment sont entremêlés ces éléments de la rhétorique classique dans le grand bassin d'éléments qui fondent la substance de la grammaire souverainiste.

Intégrons la matrice pour rendre compte de la pluralité argumentative des discours souverainistes, pris ensemble dans notre analyse comme formant un seul discours. Les éléments en caractères **standard gras** sont communs à tous les discours, ceux en caractère standard sont redondants dans les textes étudiés, ceux en *italique* proviennent de discours en marge de la trame argumentative commune.

Définition de la nation	Identité québécoise	Valeurs authentiques	Personnages publics	Histoire commune
Territoriale	**francophone**	**solidarité**	**bons**	« ressentimentiste »
communautaire-civique	de souche française	**travail**	méchants	**unificatrice**
organique[1]	*partagée avec les anglophones*	**démocratie**	**traîtres**	*à dépasser*
culturelle	*canadienne-française*	ouverture	*de bonne foi*	garante de l'avenir

Jacques Parizeau, s'adressant à des jeunes militants du PQ à l'automne 1995, a rassemblé efficacement plusieurs de ces éléments du « Bon usage » :

1. Jacques Parizeau fait exception à la règle « républicaine » de la nation québécoise typique des années 1992 à 1995 en page 138 : un pays à soi, c'est extraordinairement précieux. Avoir un pays à soi, un pays auquel on s'identifie vraiment, un pays dont on est fier... ce n'est pas une abstraction, ce n'est pas une structure, ce n'est pas l'affaire des politiciens. C'est quelque chose qu'on porte en soi. Quelque chose qui fait partie de notre être. C'est quelque chose qui nous donne un petit morceau de certitude, un petit morceau d'identité personnelle autant que collective. C'est quelque chose qui n'a pas de prix.

> *Un commencement, mes amis, il peut y en avoir un dans douze jours. Un commencement plus grand que la somme de tous nos commencements individuels. Un commencement plus riche en possibilités, plus emballant et plus vivant que n'importe quelle entreprise, que n'importe quelle carrière. Un commencement qui n'a pas de sens, qui ne peut pas marcher, qui ne vaut pas la peine s'il n'est pas aussi, beaucoup, énormément, celui de votre génération* (JP, p. 153).

Les figures mythifiées du paysage mental québécois sont amalgamées dans les critères de la bonne ou de la mauvaise foi. Alors que les dernières années ont connu le deuil national des Félix Leclerc, Gaston Miron, Fernand Dumont, Pauline Julien, Dédé Fortin et Maurice Richard, le panthéon québécois se nourrit de fantômes transformés, par la grâce nationaliste, en muses éclairantes, aux côtés d'un Pierre-Elliot Trudeau. Aussi, les idéologues de l'identité se permettent-ils d'agir en héritiers de la cause indépendantiste, transposant la quête circonstancielle et contextuelle en course à relais intergénérationnelle et transhistorique :

> *Quand on est passé si près du but, on n'a pas le droit de laisser dans le paysage quelque vache sacrée que ce soit. Il faut tout réévaluer, tout scruter, en n'étant guidé que par deux idées fondamentales : l'objectif principal est de réaliser la souveraineté du Québec et les moyens pour y arriver doivent être conformes à nos convictions démocratiques et à nos traditions parlementaires* [...]. *Ce n'est pas parce que, depuis un quart de siècle, on dit ou promet la même chose qu'on doit la répéter encore pendant vingt-cinq ans. L'important c'est de garder l'esprit ouvert et de ne jamais perdre de vue l'objectif* (JP, p. 34).

Le Parti québécois, malgré les récriminations d'une Andrée Ferretti, se retrouve, plus que jamais, seul maître à bord concernant la ligne de conduite à adopter en vue de réaliser la souveraineté du Québec et agit en Académie grammairienne pour éviter la collection d'exceptions de type « ressentimentiste » ou accusateur : « c'est la faute des Anglais » ou celle de « l'argent et des votes ethniques ». Il n'en demeure pas moins qu'une nouvelle campagne électorale se profile à l'horizon et que les éléments des marges identifiés en caractère standard dans notre matrice, intégration et nation civique, vont dorénavant trouver leur place au centre du discours souverainiste, du moins pour quelque temps.

En réponse aux nombreuses tentatives hésitantes de nommer la fibre essentielle de l'identité québécoise, dont celle, célèbre, d'un personnage créé par Pierre Falardeau, qui disait être « un francophone du Nord de l'Amérique, un Franco-Québécois du Canada, un Canadien américain d'origine française[2] », les intellectuels du Québec confrontent thèses et hypothèses. Le professeur Yvan Lamonde, auteur d'une histoire intellectuelle du Québec de 1760 à nos jours, propose la formule de définition suivante :

$$Q = -F + GB + USA^2 - R$$

Cet énoncé historico-mathématique reprend les termes traditionnels de la définition du Québec contemporain : le Québec, issu d'un mélange franco-anglais, est influencé plus qu'on ne le croit par les États-Unis, et moins qu'on ne le pense par Rome[3]. Or, le concept de l'américanité québécoise offre un espace limité pour l'interprétation neuve. Toutefois, ce concept constitue l'objet d'un groupe de recherche sur l'américanité, le GRAM, qui s'est constitué en 1997 « dans le but d'identifier et d'évaluer certaines tendances observables permettant de mieux cerner les principaux déterminants de l'américanité des Québécois[4] ». Tous les ouvrages de notre corpus défendaient aussi la position géographique du Québec et son environnement culturel comme vecteurs de la différence par rapport aux « autres » : Français, Anglais et Américains.

Le caractère réitératif des ouvrages participant de la grammaire générative de l'argumentaire souverainiste trouve un correspondant dans la répétition orchestrée des analyses savantes de l'identité québécoise. En effet, alors que le discours souverainiste fonctionne dans une grammaire qui accepte peu de néologismes idéologiques, les analyses de l'idée de nation québécoise semblent être écrites de la même encre, bleue translucide, au service de la survivance d'une québécitude américanisée. Le mouvement pour une alternative grammaticale, réconciliateur s'il en est, des groupes pour le OUI et pour le NON, se glisse dans les interstices des discours principaux et se limite à une production intellectuelle marginale.

2. On aura reconnu le monologue d'Elvis Gratton, caricature délirante d'un Québécois fédéraliste pro-américain. *Elvis Gratton*, comédie satirique de Pierre Falardeau, Montréal, CFP vidéo, 89 minutes.
3. Yvan Lamonde, en entrevue au *Devoir* le lundi 2 novembre 1998. Caroline Montpetit, *Le Devoir*, Montréal, p. B-1.
4. Léon Bernier (INRS), James Csipak (SUNY), Donald Cuccioletta (UQAM), Albert Desbiens (UQAM), Guy Lachapelle (Université Concordia) et Frédéric Lesemann (INRS), « Entre l'ambiguïté et la dualité » (série de trois textes), *Le Devoir*, Montréal, 14, 15 et 16 juillet 1997, p. A-7.

Centrée sur la valeur républicaine de la nation et sur une définition nouvelle de la citoyenneté, l'alternative argumentative intègre le courant « fin de siècle » et met en relief les choix de l'individu nomade dans un réseau complexe et personnel d'identités multiples.

Au terme de notre étude, nous sommes aussi en mesure de contribuer aux discours sur la nation québécoise, dont le Québec est à la fois le principal récepteur, émetteur et régulateur. Dans le grand mouvement de questionnement sur l'identité nationale, nous sommes donc à même de participer à cette cacophonie typiquement québécoise, en suggérant toutefois un agencement des éléments du récit souverainiste susceptible de constituer une grammaire générative de son argumentaire. La nation culturelle francophone vivant sur le territoire de la province de Québec se manifeste dans les valeurs de persévérance, de solidarité, de travail et d'ouverture aux « autres ». Elle valorise un projet de société institué sur la base démocratique en condamnant les traîtres à la nation québécoise. Son histoire concerne la majorité francophone, quoiqu'elle s'associe aux autres « peuples opprimés » de l'histoire mondiale. Cette histoire franco-québécoise, réappropriée dans une mémoire collective, est projetée dans l'avenir, faisant du projet souverainiste la fin avouée d'un cheminement téléologique.

Épilogue

LA FAMEUSE devise « Je me souviens » fait l'objet de plusieurs questions provenant de touristes intrigués par le sens caché de l'inscription sur les plaques d'immatriculation ou de Québécois assoiffés d'histoire. Par ailleurs, la formule ne cesse d'être occultée, ces dernières années, par nombre de penseurs québécois qui s'intéressent à l'identité du groupe vivant sur le territoire du Québec[1]. Il nous semble que cette devise, longtemps considérée comme une mystérieuse épitaphe ou comme l'acte de naissance d'une culture propre (« Je me souviens que né sous le lys je grandis sous la rose »), soit en effet l'énigme principale que les Québécois doivent résoudre pour donner un sens à leur identité en tant qu'héritiers d'une histoire. Néanmoins, une mise au point s'avère nécessaire. Il faut d'abord, pour réfléchir l'appartenance au groupe dans une ligne mémorielle, pour réussir à s'inscrire dans l'histoire québécoise, se reconnaître comme héritiers, ce qui n'est pas chose aisée.

« Je me souviens » est-il l'intitulé d'un testament historique ? Est-ce une invitation à excercer un regard critique sur le passé ? Nous proposons d'examiner la formule dans sa nature grammaticale. En français, se souvenir est un verbe réflexif, qui appelle nécessairement un sujet caché. Cessons

1. Pensons à l'initiative du quotidien *Le Devoir* de proposer un débat de plusieurs semaines à quelques intellectuels en vue sur le thème « Penser la nation québécoise » (textes disponibles depuis plus d'un an sur le site web du *Devoir*) ; pensons encore au colloque qui s'en est suivi réunissant près de cinq cents auditeurs, aux récentes parutions de philosophie politique et de réflexion historienne de Jocelyn Maclure et de Jocelyn Létourneau.

donc un moment de projeter un objet en explosant dans un « je me souviens de quoi » nerveux : « je me souviens de mon histoire nationale » ou « je me souviens des mesures de guerre entreprises au Québec le 16 octobre 1970 », pour nous poser calmement, devant le sphinx, la question du « je ». Qui suis-je ? Qui suis-je, collectivement ?

Dans un second temps, pourrons-nous fouiller les questions soulevées par Jocelyn Létourneau, dans son plus récent ouvrage intitulé *Passer à l'avenir... ?* Quel est le « capital d'espoirs à exploiter au présent » dont l'auteur fait mention ? « Comment les héritiers doivent-ils configurer leur sentiment d'histoire, c'est-à-dire se situer par rapport à une certaine continuité mémorielle, sans par ailleurs hypothéquer la possibilité d'explorer de nouveaux territoires identitaires[2] ? » Jocelyn Létourneau parle du passé à travers l'image de l'héritage reçu de « prédécesseurs » ; il évoque aussi l'avenir en y situant des « descendants ». Voici le nœud de l'énigme. Doit-on être enfant ou parent dans notre rapport à l'histoire ? Paul Ricœur écrit, par ailleurs, que toute société a « la charge de transmission transgénérationnelle de ce qu'elle tient pour ses acquis culturels ». Peut-on laisser l'avenir libre et assumer nous-mêmes cette liberté d'être, de savoir, cette curiosité, cette tendresse pour des grands-parents ou des personnages du passé révélés par le travail des historiens des mentalités et de la vie quotidienne, cet espoir pour les générations à venir ? Les douleurs historiques, comme les bonheurs, sont dans la nature et appartiennent aussi bien au passé qu'au présent ou à l'avenir. « Ce n'est pas de leur caractère que les hommes sont ce qu'ils sont, écrivait Aristote, mais c'est de par leurs actions qu'ils sont heureux, ou le contraire[3]. » Afin de refuser légitimement la « domination des anciens dans le monde des vivants » en établissant un rapport critique à l'histoire, il faut s'assurer que la liberté des ancêtres ne se soit pas transformée en destin pour nous, contemporains, et de même faut-il sauvegarder la liberté des générations à venir en ne gommant pas, par la critique, les pans de l'histoire qui ne servent pas à la définition du « je » québécois contemporain. Il faut avant tout se poser humblement la question identitaire « Qui suis-je ? » en laissant la page blanche pour ceux d'après.

2. Jocelyn Létourneau, *Le Devoir*, « Idées », 5 novembre 2000, p. A-15.
3. Aristote, *Poétique*, IV.

«Je me souviens», c'est le contraire d'un effort de remémoration, c'est l'envahissement de la conscience par un souvenir. Faudrait-il faire de cette devise un oubli éclairé, comme le suggère le philosophe Paul Ricœur : « un garde-fou contre une culture forcenée de la mémoire mémorisante[4] » ? «Je me souviens », c'est du sujet qu'il s'agit. Seul le verbe raconter nous laisse la liberté d'agir dans le présent. C'est ce qu'on appelle « les problématiques d'un temps » ou «les courants historiques à la mode ». Tel est le grand enjeu des historiens : s'agit-il de raconter l'histoire (objectivement, dans le sens grammatical de l'objet) ou de répondre à l'appel réflexif « raconte-moi l'histoire », ce qui revient à « raconte-moi mon rôle dans l'histoire » ? Quel est le véritable sujet de l'histoire ? Qu'est-ce qui fonde le sujet, sinon une curiosité sans bornes pour ce qui l'a façonné et un espoir sans autre horizon que celui de vivre pour se raconter à l'avenir ? « Ego », a répondu Œdipe. Gens du pays, c'est votre tour de répondre à l'énigme identitaire du sphinx...

4. Paul Ricœur, *op. cit.*, p. 82.

Bibliographie

CORPUS D'ANALYSE

BOUTHILLIER, Guy, *L'obsession ethnique*, Outremont, Lanctôt, 1997, 233 pages.

Camp du Changement, *Le Cœur à l'ouvrage*, Québec, Le Camp du changement, 1995, 84 pages.

DUMONT, Fernand, *Raisons communes*, Montréal, Boréal, 1995, 255 pages.

FERRETTI, Andrée, *Le Parti québécois : Pour ou contre l'indépendance ?*, Outremont, Lanctôt, 1996, 109 pages.

GRAVELINE, Pierre, *Une planète nommée Québec. Chroniques sociales et politiques, 1991-1995*, Montréal, VLB, 1996, 346 pages.

LEGAULT, Josée, *Les nouveaux démons. Chroniques sociales et politiques*, Montréal, VLB, 1996, 234 pages.

LIMOGES, Jacques, *Le génie québécois. Essai ontologique sur les idéaux identitaires d'un peuple*, Saint-Zénon (Québec), Louise Courteau, 1996, 200 pages.

MONIÈRE, Denis, *L'indépendance*, Montréal, Québec/Amérique, 1992, 150 pages.

PARIZEAU, Jacques, *Pour un Québec souverain*, Montréal, VLB, 1997, 351 pages.

VADEBONCŒUR, Pierre, *Gouverner ou disparaître*, Montréal, Typo, 1993, 269 pages.

COMPLÉMENT DU CORPUS D'ANALYSE

A, Marcos et Francis DUPUIS-DÉRI, *L'archipel identitaire : recueil d'entretiens sur l'identité culturelle*, Montréal, Boréal, 1997.

BERNIER, Léon (INRS), James CSIPAK (SUNY), Donald CUCCIOLETTA (UQAM), Albert DESBIENS (UQAM), Guy LACHAPELLE (Université Concordia) et Frédéric A (INRS), « Entre l'ambiguïté et la dualité » (série de trois textes), *Le Devoir*, Montréal, 14, 15 et 16 juillet 1997. p. A-7.

CORBO, Claude, *Lettre fraternelle raisonnée et urgente à tous mes concitoyens immigrants*, Outremont, Lanctôt, 1996.

ÉPINETTE, Françoise, *La question nationale au Québec*, Paris, PUF, coll. « Que sais-je ? », 1998.

FALARDEAU, Pierre, *La liberté n'est pas une marque de yougourt : lettres, articles, projets*, Montréal, Stanké, 1995.

FERRETTI, Andrée, Gaston MIRON et Jean A (dir.), *Les grands textes indépendantistes. Écrits, discours et manifestes québécois 1774-1992*, Montréal, L'Hexagone, 1992.

FERRON, Marcelle, *L'esquisse d'une mémoire*, Montréal, Éditions des Intouchables, 1996.

JULIEN, Roger, *Un peuple, un projet*, Montréal, Éditions Écosociété, 1996.

LACHAPELLE, Guy, Pierre P. TREMBLAY et John E. TRENT (dir.), *L'impact référendaire*, Sainte-Foy (Québec), Presses de l'Université du Québec, 1995.

LALONDE, Francine, *D'abord un coup de cœur. Puis une longue détermination !*, Sillery (Québec), Septentrion, 1995.

LAMONDE, Yvan (entrevue avec Caroline Montpetit), « Entrevue », *Le Devoir*, Montréal, 2 novembre 1998. p. B-1.

LAROSE, Jean, *La souveraineté rampante*, Montréal, Boréal, 1995.

LATOUCHE, Daniel, *Plaidoyer pour le Québec*, Montréal, Boréal, 1995.

MARTEL, Marcel, *Le deuil d'un pays imaginé*, Ottawa, Presses de l'Université d'Ottawa, 1997.

MONIÈRE, Denis, *La bataille du Québec. Troisième épisode : 30 jours qui ébranlèrent le Canada*, Montréal, Fides, 1996.

Projet de loi sur l'avenir du Québec, incluant la Déclaration de souveraineté et l'entente du 12 juin 1995, Québec, Gouvernement du Québec, 1995.

CORPUS CRITIQUE

1. OUTILS CONCEPTUELS

ANGENOT, Marc, *Les idéologies du ressentiment*, Montréal, XYZ, 1996.

_______, *La parole pamphlétaire : contribution à la typologie des discours modernes*, Paris, Payot, 1992.

AUGÉ, Marc, *Symbole, fonction, histoire : les interrogations de l'anthropologie*, Paris, Hachette, 1979.

BAKHTINE, Mikhaïl, « Discours poétique, discours romanesque », dans *Esthétique et théorie du roman*, Paris, Gallimard, 1978.

BARTHES, Roland, « Introduction à l'analyse structurale des récits », dans *L'analyse structurale du récit*, [réédition de *Communications*, n° 8, Paris, Seuil, 1966] Paris, Seuil, 1981.

BENVENISTE, Émile, *Problème de linguistique générale*, Paris, Gallimard, 1966.

BHABA, Thomi K., *Nation/Narration*, Londres, Routledge, 1990.

BOURNEUF, Roland et Réal OUELLET, *L'univers du roman*, Paris, PUF, 1975.

BREMOND, Claude. « La logique des possibles narratifs », dans *L'analyse structurale du récit*, [réédition de *Communications*, n° 8, Paris, Seuil, 1966] Paris, Seuil, 1981.

CAMPBELL, Joseph, *Creative Mythology. The Masks of God*, New York, Penguin Books, 1990 [réimpression de 1968].

CARR, David, *Time, Narrative and History*, Bloomington, Indiana University Press, 1986.

DUBOIS, Jacques, « Pour une critique littéraire sociologique », dans Escarpit, Robert (dir.), *Le littéraire et le social*, Paris, Flammarion, 1970.

DUCHET, Claude, « Pour une socio-critique ou Variations sur un incipit », *Littérature*, n° 1, 1971.

ECO, Umberto, *A Theory of Semiotics*, [traduction de l'édition italienne : Milan, Bompiani, 1976] Bloomington, Indiana University Press, 1979.

ELIADE, Mircea, *Aspects du mythe*, [traduction de l'anglais par Jean Gouillard, New York, Harper, 1962] Paris, Gallimard, 1963.

ESCARPIT, Robert (dir.), *Le littéraire et le social*, Paris, Flammarion, 1970.

FAYE, Jean-Pierre, *Théorie du récit : introduction aux langages totalitaires. Critique de la raison, l'économie narrative*, Paris, Hermann, 1972.

GENETTE, Gérard, « Frontières du récit », dans *L'analyse structurale du récit*, [réédition de *Communications*, n° 8, Paris, Seuil, 1966] Paris, Seuil, 1981.

GIRARD, René, *Mensonges romantiques et vérité romanesque*, Paris, Grasset, 1973.

GOLDMANN, Lucien, *Pour une sociologie du roman*, Paris, Gallimard, 1964.

GREIMAS, Algirdas Julien, « Éléments pour une théorie du récit mythique », dans *L'analyse structurale du récit*, [réédition de *Communications*, n° 8, Paris, 1966] Paris, Seuil, 1981.

HABERMAS, Jürgen, *Théorie de l'agir communicationnel* (2 tomes), Paris, Fayard, 1987.

HARTOG, François, « L'œil de l'historien et la voix de l'histoire », *Communications*, n° 43, Paris, Seuil, 1986.

JACQUES, Daniel, *Nationalité et modernité*, Montréal, Boréal, 1998.

KOSELLECK, Reinhardt, *Le futur passé. Contribution à la sémantique des temps historiques*, Paris, Éditions de l'EHESS, 1990.

LEVINE, Lawrence, « The Folklore of Industrial Society : Popular Culture and Its Audience », *American Historical Review*, n° 97, 1992.

MAIRET, Gérard, *Le discours et l'historique. Essai sur la représentation historienne du temps*, s.l., Mame, 1974.

MATHIEU, Jacques (dir.), « Pour une morphogénèse du passé », dans *La mémoire dans la culture*, Sainte-Foy (Québec), Les Presses de l'Université Laval, 1995.

MEYER, Michel, *Questions de rhétorique. Langage, raison, séduction*, Paris, Le Livre de Poche, 1993.

PROPP, Vladimir, *Morphologie du conte*, [traduction par Tzevan Todorov de la deuxième édition russe, Léningrad, 1969] Paris, Seuil, 1979 (réédition de 1965).

REBOUL, Olivier, *Introduction à la rhétorique*, Paris, PUF, 1991.

RICŒUR, Paul, « Histoire et rhétorique », *Diogène*, n° 168, 1994.

_______, *Temps et récit*, Paris, Seuil, 1985-1988.

_______, *La mémoire, l'histoire, l'oubli*, Paris, Seuil, « L'Ordre philosophique », 2000.

SOSOE, Lukas K., *Identität : Evolution oder Differenz ? Festgabe für Professor Hugo Huber*, Freiberg (Suisse), Universitätverlag, 1989.

TORT, Patrick, *Les complexes discursifs*, Paris, Aubier, 1983.

VEYNE, Paul, *Comment on écrit l'histoire. Essai d'épistémologie*, Paris, Seuil, 1971.

WHITE, Hayden V., *The Content of the Form : Narrative Discourse and Historical Representation*, Baltimore, Johns Hopkins University Press, 1987.

2. LES THÉORIES DE LA NATION

AMSELLE, Jean-Loup, *Logiques métisses*, Paris, Payot, 1990.

ANDERSON, Benedict, *Imagined Communities ; Reflection on the Origin and Spread of Nationalism*, [première publication, New York, Verso, 1983] Seconde édition révisée et améliorée avec préface de l'auteur, New York, Verso, 1991.

ARMSTRONG, John Alexander, *Nations before Nationalism*, Chapel Hill, University of North Carolina Press, 1982.

BAECHLER, Jean, « L'universalité de la nation », dans Gauchet, Marcel (dir.), *La pensée politique : la nation*, Paris, Seuil/Gallimard, 1995.

BALIBAR, Étienne, *Race, nation, classe : les identités ambiguës*, Paris, La Découverte, 1988.

DELANNOI, Gilles, « La nation entre la société et le rêve », *Communications*, n° 45, Paris, Seuil, 1987.

ELIAS, Norbert, *La société des individus*, Paris, Fayard, 1991 (réimpression de 1987).

FALL, Khadiyatoulah, Daniel SIMEONI et Georges VIGNAUX (dir.), *Mots, représentations. Enjeux dans les contacts interethniques et interculturels*, Ottawa, Presses de l'Université d'Ottawa, 1994.

GAUCHET, Marcel, *Le désenchantement du monde. Une histoire politique de la religion*, Paris, Gallimard, 1985.

GAUCHET, Marcel *et al.* (dir.), *La pensée politique : la nation*, Paris, Seuil/Gallimard, 1995.

GELLNER, Ernest, *Nations and Nationalism*, [première publication : Cornell Paperbacks, 1983] Cinquième édition avec préface de l'éditeur RI Moore, Ithaca, Cornell University Press, 1993.

GREEN, Nancy L., « Classe et ethnicité, des catégories caduques de l'histoire sociale ? », dans Lepetit, Bernard (dir.), *Les formes de l'expérience. Une autre histoire sociale*, Paris, Albin Michel, 1995.

GREENFELD, Liah, *Nationalism : Five Roads to Modernity*, Cambridge, Cambridge University Press, 1992.

GRIBAUDI, Maurizio, « Les discontinuités du social. Un modèle configurationnel », dans Lepetit, Bernard (dir.), *Les formes de l'expérience. Une autre histoire sociale*, Paris, Albin Michel, 1995.

GUINCHARD, Jean-Jacques, « Le national et le rationnel », *Communications*, n° 45, Paris, Seuil, 1987.

HAUPT, Georges, Michaël LÖWY et Claudie WEILL, *Les marxistes et l'identité nationale : 1848-1918*, Paris, Maspero, 1974.

HOBSBAWM, Eric, *Nations et nationalismes depuis 1780 ; programme, mythe, réalité*, Paris, Gallimard, 1992.

HOBSBAWM, Eric et Terence RANGER (dir.), *The Invention of Tradition*, Cambridge, Cambridge University Press, 1983.

KEDOURIE, Elie, *Nationalism*, Londres, Hutchison, 1966.

KOPPELMANN, H.L., *Nation, Sprache und Nationalismus*, Leyde, Sijthoff, 1956.

LEMARCHAND, Guy. « Structures et conjonctures historiques dans la constitution des nations et des États-Nations en Europe du XVIe au XIXe siècle : problématique et nouvelles approches », dans *Actes du Symposium international de l'Université de Rouen-IRED ; Nations, nationalismes, transitions XVIe-XXe siècles*, Paris, Terrains/Éditions sociales, 1993.

MAIRET, Gérard, *Le principe de souveraineté. Histoire et fondements du pouvoir moderne*, Paris, Gallimard, 1997.

RENAN, Ernest, « Qu'est-ce qu'une nation ? », dans Forest, Philippe, *Qu'est-ce qu'une nation ?*, Paris, Bordas, 1991.

ROSANVALLON, Pierre, *Le peuple introuvable. Histoire de la représentation démocratique en France*, Paris, Gallimard, « Bibliothèque des histoires », 1998.

SCHNAPPER, Dominique, *La communauté des citoyens. Sur l'idée moderne de nation*, Paris, Gallimard, 1994.

SCHULZE, Hagen, *Gibt es überhaupt eine deutsche Geschichte ?*, Berlin, Siedler, 1989.

SCRUTON, Roger, « The First Person Plural », dans *Boston, Melbourne, Oxford Converzationi on Culture and Society : The Worth of Nations*, Boston, Boston University Press, 1993.

SEGALEN, Martine *et al.*, *L'autre et le semblable*, Paris, CNRS, 1989.

SINGER, Brian C.J., « État-Nation : interrogation sur un trait d'union », *Société*, n° 14, Montréal, 1995.

SMITH, Anthony, *Theories of Nationalism*, Londres, Duckworth, 1983.
_______, *The Ethnic Origins of Nations*, Oxford, Blackwell, 1986.
_______, *National Identity*, Harmondsworth, Penguin Books, 1991.
_______, « The Nation : Invented, Imagined, Reconstructed ? », *Millenium : Journal of International Studies*, n° 20, 1991.

SOLLORS, Werner (dir.), *The Invention of Ethnicity*, New York, Oxford University Press, 1989.

SOUTHCOTT, Chris, « Au-delà de la conception politique de la nation », *Communications*, n° 45, Paris, Seuil, 1987.

TÖNNIES, Ferdinand, *Communauté et société : catégories fondamentales de la sociologie pure*, [traduit de l'allemand par J. Leif] Paris, Retz-C.E.P.L., 1977.

WIEVIORKA, Michel, *La démocratie à l'épreuve ; nationalisme, populisme, ethnicité*, Paris, La Découverte, 1993.

3. LE CAS DU QUÉBEC (NATION, NATIONALISME, SOUVERAINETÉ, ETHNICITÉ)

BALTHAZAR, Louis, « Nationalisme et identité », dans Lachapelle, Guy, Pierre P. Tremblay et John E. Trent (dir.), *L'impact référendaire*, Sainte-Foy, Presses de l'Université du Québec, 1995.

BISSONNETTE, Lise, « La souveraineté pour la suite du Québec », *Le Devoir*, Montréal, 26 octobre 1995, p. A-10.

BOUCHARD, Gérard, « Nationalisme ethnique avez-vous dit ? », *Le Devoir*, Montréal, 20 novembre 1995, p. A-7.

______, « Une nation, deux cultures. Continuités et ruptures dans la pensée québécoise traditionnelle (1840-1960) », dans Bouchard, Gérard (dir.) avec la collaboration de Serge Courville, *La construction d'une culture. Le Québec et l'Amérique française*, Sainte-Foy, Les Presses de l'Université Laval, 1993.

BOUCHARD, Jacques, *Les 36 cordes sensibles des Québécois d'après les 6 racines vitales*, Montréal, Héritage, 1978.

BOURQUE, Gilles et Julien DUCHASTEL, *L'identité fragmentée. Nation et citoyenneté dans les débats constitutionnels canadiens, 1941-1992*, Montréal, Fides, 1996.

CAMBRON, Micheline, *Une société, un récit : discours culturel au Québec, 1967-1976*, Montréal, L'Hexagone, 1989.

CARPIN, Gervais, *Histoire d'un mot. L'ethnonyme canadien de 1535 à 1691*, Sillery (Québec), Septentrion, 1995.

DERRIENNIC, Jean-Pierre, *Nationalisme et démocratie : réflexion sur les illusions des indépendantistes québécois*, Montréal, Boréal, 1995.

DU BERGER, Jean, « Tradition et constitution d'une mémoire collective », dans Mathieu, Jacques (dir.), *La mémoire dans la culture*, Sainte-Foy (Québec), Les Presses de l'Université Laval, 1995.

DUMONT, Fernand, *Genèse de la société québécoise*, Montréal, Boréal, 1993.

« Être ou ne pas être Québécois », dans *Cahiers de recherche sociologique*, livraison spéciale, n° 25, 1995.

JENSON, Jane, « Naming Nations : Making Nationalist Claims in Canadian Political Discourse », *Canadian Review of Sociology and Anthropology*, n° 30, 1993.

KHOURI, Nadia, « Nous sommes tous distincts : heurs et malheurs d'une formule définitionnelle », dans Fall, Khadiyatoulah (dir.), *Mots, représentations. Enjeux dans les contacts interethniques et interculturels*, Ottawa, Presses de l'Université d'Ottawa, 1994.

LAMONDE, Yvan, *Ni avec eux ni sans eux : le Québec et les États-Unis*, Montréal, Nuit Blanche, 1996.

LAMONDE, Yvan et Gérard BOUCHARD (dir.), *La nation dans tous ses états : le Québec en comparaison*, Montréal, L'Harmattan, 1997.

LAMONTAGNE, Maurice, *La réponse au livre blanc du PQ. Le référendum piégé*, Montréal, Stanké, 1980.

LAMOUREUX, Diane, « Préparer l'avenir et non ressasser le passé », *Le Devoir*, Montréal, 20 novembre 1995, p. A-7.

LEGAULT, Josée, « La mémoire refusée », *Le Devoir*, Montréal, 23 octobre 1996, p. A-8.

LEMAIRE, Paul-Marcel, *Nous Québécois*, Montréal, Leméac, 1993.

LÉTOURNEAU, Jocelyn, *Les années sans guide : le Canada à l'ère de l'économie migrante*, Montréal, Boréal, 1996.

LÉTOURNEAU, Jocelyn, *Passer à l'avenir. Histoire, mémoire, identité dans le Québec d'aujourd'hui*, Montréal, Boréal, 2000.

LÉTOURNEAU, Jocelyn et Roger BERNARD, *La question identitaire au Canada francophone : récits, parcours, enjeux, hors-lieux*, Sainte-Foy (Québec), Les Presses de l'Université Laval, 1994.

LÉTOURNEAU, Jocelyn, Jean-Marie FECTEAU et Gilles BRETON, *La condition québécoise : les enjeux et horizons d'une société en devenir*, Montréal, VLB, 1994.

LÉTOURNEAU, Jocelyn et Jacynthe RUEL, « Nous autres les Québécois. Topiques du discours franco-québécois sur Soi et sur l'Autre dans les mémoires déposés devant la Commission Bélanger-Campeau », dans Fall, Khadiyatoulah (dir.), *Mots, représentations. Enjeux dans les contacts interethniques et interculturels*, Ottawa, Presses de l'Université d'Ottawa, 1994.

LÉTOURNEAU, Jocelyn, avec la collaboration d'Anne TRÉPANIER, « Le lieu (dit) de la nation : essai d'argumentation à partir d'exemples puisés au cas québécois », *Revue canadienne de science politique*, vol. XXX, n° 1, Ottawa, 1997.

LÉVESQUE, René, *Option Québec*, Montréal, Éditions de l'Homme, 1968.

LEYDET, Dominique, « Patriotisme constitutionnel et identité nationale », *Philosophiques. Numéro spécial : Une nation peut-elle se donner la constitution de son choix ?*, vol. XIX, n° 2, 1992.

LINTEAU, Paul-André, René DUROCHER, Jean-Claude ROBERT et François RICARD, *Histoire du Québec contemporain. Le Québec depuis 1930*, Montréal, Boréal, 1989.

LISÉE, Jean-François, *Le tricheur. Robert Bourassa et les Québécois. 1991-1992*, Montréal, Boréal, 1994.

MASSE, Marcel, « Le débat référendaire en toute liberté », *Le Devoir*, Montréal, 6 octobre 1995, p. A-11.

MILOT, Pierre, *L'incessant bavardage public : essais*, Montréal, Balzac, 1996.

MINTZBERG, Henry, *Les propos d'un « pur coton » ; essai sur la problématique canadienne*, Montréal, Québec/Amérique, 1995.

MIRON, Gaston, *Les signes de l'identité*, Montréal, Du Silence, 1983.

MONIÈRE, Denis, *La bataille du Québec. Premier épisode, les élections fédérales de 1993*, Montréal, Fides, 1994.

________, *Les enjeux du référendum*, Montréal, Québec/Amérique, 1992.

PELLETIER, Jacques, *Le poids de l'histoire. Littérature, idéologies, société du Québec moderne*, Québec, Nuit Blanche, 1995.

RIOUX, Christian, « La nation sans nationalisme », *Le Devoir*, Montréal, 23 octobre 1995, p. B-1.

ROBIN, Régine, « Citoyenneté culturaliste, citoyenneté civique », dans Fall, Khadiyatoulah (dir.), *Mots, représentations. Enjeux dans les contacts interethniques et interculturels*, Ottawa, Presses de l'Université d'Ottawa, 1994.

RUEL, Jacynthe, *Clio dans l'arène publique : usages du passé et références à l'histoire dans les mémoires déposés devant la Commission sur l'avenir politique et constitutionnel du Québec (1990)*, Sainte-Foy (Québec), École des gradués de l'Université Laval, 1993.

SOSOE, Lukas K., « Le contractualisme et la question des nationalités », *Philosophiques. Numéro spécial : Une nation peut-elle se donner la constitution de son choix ?*, vol. XIX, nº 2, 1992.

TAYLOR, Charles, *Rapprocher les solitudes ; écrits sur le fédéralisme et le nationalisme au Canada*, Sainte-Foy (Québec), Les Presses de l'Université Laval, 1992.

TREMBLAY, Lise, *La pêche blanche*, Montréal, Leméac, 1994.

TURP, Daniel, *L'avant-projet de loi sur la souveraineté du Québec : texte annoté*, Cowansville, Y. Blais, 1995.

VADEBONCŒUR, Pierre, *Chaque jour, l'indépendance*, Montréal, Leméac, 1978.

WEINMANN, Heinz, *Du Canada au Québec : généalogie d'une histoire*, Montréal, L'Hexagone/Parti pris, 1970.

WYCZYNSKI, Paul, François Gallay et Sylvain Simard (dir.), *L'essai et la prose d'idées au Québec*, Montréal, Fides, 1985.

Annexe 1

JEUNE SOUVERAINISTE

Annexe 2

Les six racines vitales selon Jacques Bouchard, auteur *des 36 cordes sensibles des Québécois d'après les 6 racines vitales* (Montréal, Héritage, 1978)

1. Terrienne
2. Minoritaire
3. Nord-américaine
4. Catholique
5. Latine
6. Française

De la racine nord-américaine, l'auteur retrace six nouvelles racines :

1. Superconsommation
2. Recherche du confort
3. Goût bizarre
4. Solidarité continentale
5. Sens de la publicité
6. Les nationalismes

Les six projets collectifs des Québécois sont :

1. L'écologie
2. La migration et la natalité
3. La publicité et le consumérisme
4. L'entrepreneurship
5. Le produit culturel québécois
6. La langue québécoise

AGMV Marquis
MEMBRE DU GROUPE SCABRINI
Québec, Canada
2001